히브리어 쓰기성경

תהלים

- 시편 (1) -

1편 ~ 41편

언약성경연구소

케타브 프로젝트: 히브리어 쓰기성경 – 시편 제1권

발 행 | 2024년 2월 20일
저 자 | 이학재
발행인 | 최현기
편집 · 디자인 | 허동보

등록번호 | 제399-2010-000013호
발행처 | 홀리북클럽
주 소 | 경기도 남양주시 진접읍 내각2로12 (070-4126-3496)

ISBN | 979-11-6107-054-4
가 격 | 21,700원

כתב Project　　　　　　　히브리어쓰기성경

תהלים

- 시 편 (1) -

1편 ~ 41편

영·한·히브리어
대역대조 쓰기성경

언약성경연구소

* 본 책에는 맛싸성경(한글), 개역한글(한글), WLC(히브리어), NET(영어) 성경 역본이 사용되었으며,
KoPub 바탕체, KoPub 돋움체, Frank Ruhl Libre, 세방체 폰트가 사용되었습니다.
히브리어 알파벳표, 모음표, 알파벳송 악보는 『왕초보 히브리어 펜습자』(허동보 저) 저자의 동의를 받고 첨부하였습니다.
맛싸성경3은 저자 이학재 교수가 원문성경에서 직접 번역한 번역물로 번역 저작물이 저작권협회에 접수된 개인번역입니다.

목 차

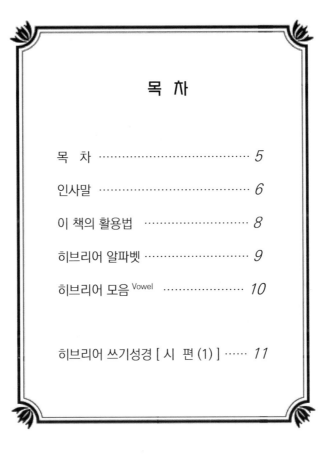

"시편"은 다윗 왕과 그 외 시인들의 하나님을 향한 기도와 찬양, 고백, 희생에 관한 시들로 이루어져 있습니다. 시편은 총 150편으로 이루어져 있으며, 그 내용과 특성에 따라 다섯 권으로 나눕니다.

· 제1권: 1-41편 · 제2권: 42-72편 · 제3권: 73-89편, · 제4권: 90-106편 · 제5권: 107-150편

이학재 ^{Lee Hakjae} · Covenant University 부총장
· 월간 맛싸 대표 · 맛싸성경 번역자 · 언약성경협회장

성경은 말씀으로 읽고 소리내서 낭독하는 훈련이 필요하다. 또한 성경은 precept, 즉 글로 적은 글이다. 십계명도 하나님께서 적어 주신 것이고 구약성경, 신약성경 모두다 사람들이 손으로 필사하여 전해온 것이다. 특히 시편에서는 하나님의 말씀을 '호크'^{규례, 교훈}라고 부르는데 이것은 '하카크' 즉 '새기다, 기록하다'는 의미이다. 성경은 1455년에 라틴어를 출간하기까지 구약은 서기관들에 의해서 두루마리에 필사를 통해서 기록되었고 신약 역시 대문자, 소문자 등을 통해서 손으로 직접 적었다.

이같은 성경은 소리내 읽는 '낭독'과 글로 적는 '호크'^{precept}로 기록된 말씀이다. 물론 타자를 치는 필사를 비롯하여 다양한 방법이 있지만, 특히 AI 시대에는 주관성과 개인의 특성을 가진 영성이 품어 나오는 적기 성경 즉 '필사 성경'이 필요하다. 시중에 한글 필사성경, 영어 등은 이미 출판되어 있지만 원문 필사는 아직 나오지 않았다. 원문 필사를 위해서는 원문만 넣을 것이 아니라 한글의 공적성경^{개역, 개역개정}과 또한 사역이지만 원문에서 번역한 것이 필요한데 이런 면에서 '맛싸 성경'은 중요한 역할을 할 것이다. 아울러 영역본도 함께 제공되어 원문과 함께 번역본들을 보게 되고 자신의 필사 성경도 각권으로 남게 될 것이다.

성경을 적는다는 것은 참으로 중요하다. 기도하면서 성경에서도 달려가면서도 성경을 읽게 하라는 말씀은 성경에도 기록되어 있다^{하박국 2장}. 많은 사람들이 성경을 덮어두거나, '말아 놓았다'. 이제는 적어서 펼쳐 놓아야 한다. 이런 면에서 족자, 액자들 성경 원문 쓰기를 통해서 원문을 보고 묵상하고 더욱 말씀을 가시적으로 보며 그 말씀의 생명력을 가지는 삶을 살아야 할 것이다. 이 모든 것이 '적는 것'^{כתב 케타브}에서 시작된다. 이 시리즈는 구약 전권 신약 전권의 '쓰기', '적기'를 출간하는 것으로 생각하고 있다. 매일 일정한 양을 쓰면서 원문을 자유롭게 이해하고 원문의 바른 의미, 성경의 의미를 바르게 이해해서 말씀에 근거를 둔 그러한 건강한 말씀 중심의 삶을 살아가시기를 소원한다.

2023년 8월 10일

허동보 ^{Huh Dongbo} · 수현교회 담임목사 · Covenant University 통합과정 중
· 왕초보 히브리어 저자 및 강사

교회 역사는 대부분 이단으로부터 교회를 보호하는 역사였습니다. 사도들과 교부들의 가르침, 공의회를 통한 결정들은 우리 신앙의 선배들이 이단으로부터 교회를 지키고자 목숨까지 걸었던 몸부림이라고 해도 과언이 아닙니다. 그 신념, 그 몸부림의 근거는 바로 성경이었습니다. 하나님의 말씀이자 우리 신앙생활의 원천인 성경은 수천년이 지난 이 시대를 살아가는 우리가 쉽게 읽을 수 있도록 전문가들을 통해 비교적 잘 번역되어 있습니다. 그럼에도 불구하고 말씀을 사랑하고 매일 묵상하는 우리 그리스도인들이 히브리어와 헬라어를 배워야 하는 까닭은 무엇일까요?

첫째로 지금도 교회를 노리고 핍박하는 이들로부터 주님의 몸 된 교회를 지키기 위해서입니다. 아무리 번역이 잘 되었다고 하더라도 해당 언어가 가진 고유의 뉘앙스와 의미를 동일하게 전달하는 것은 불가능합니다. 따라서 우리는 원전을 살펴봄으로써 말씀에 대한 왜곡과 오해를 헤쳐 나가야 합니다. 둘째로 언어의 한계성 때문입니다. 성경이 쓰여지던 시기의 사회적 배경과 문학적 장치들을 더 잘 전달받기 위해서 우리는 히브리어와 헬라어를 배워야 합니다. 우리는 해당 언어를 통해 한글성경에서 느끼기 힘든 시적 운율과 다양한 의미들을 더욱 세밀하게 들여다볼 수 있으며, 이 과정에서 더 큰 은혜를 느낄 수 있습니다. 셋째로 말씀을 사모하기 때문입니다. 다른 언어를 배운다는 것은 쉽지 않습니다. 그 어려움보다 말씀에 대한 사모가 더욱 간절하기에 우리는 기꺼이 시간과 노력을 할애할 수 있습니다. 이는 마치 해리포터를 사랑하는 사람이 영어를 배우고, 톨스토이를 사랑하는 사람이 러시아어를 배우는 것처럼 원전에 더 가까워지고자 하는 욕망은 말씀을 사모하는 이들이라면 거스를 수 없을 것입니다.

이런 관점에서 언약성경협회와 언약성경연구소의 사역은 하나님의 말씀을 열정적으로 소망하는 우리 그리스도인들에게 있어서 꼭 필요한, 그리고 꼭 이루어 나가야 할 사명이 아닌가 합니다. 이에 말씀을 사모하는 많은 분들이 케타브 프로젝트에 동참하길 소망합니다. 아울러 이학재 교수님을 통해 영광스럽게도 편집과 디자인으로 이 프로젝트에 동참하게 된 것에 대해 주님께 감사드립니다.

편집자

히브리어쓰기성경 활용법

이 책의 구조와 활용법에 대해 알려드립니다.

1. 왼쪽 페이지는 히브리어 성경인 WLC역
   본과 더불어 맛싸성경과 함께 영문역본
   NET2를 대조하였습니다.

   - 맛싸성경은 저자 이학재 교수가 원문성경
     에서 직접 번역한 번역물로 번역 저작물이
     저작권협회에 접수된 개인 번역입니다.

2. 왼쪽 페이지 좌상단에 위치한 숫자는 각
   장을 말합니다. 각 절은 본문에 포함되어
   있습니다.

   ① 몇 장인지 나타냅니다.
   ② WLC 본문입니다.
   ③ 맛싸성경 본문입니다.
   ④ NET2 본문입니다.

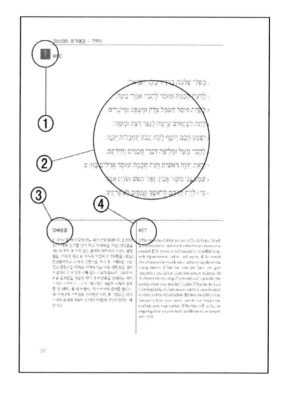

3. 여백을 넉넉히 두어 필사와 함께 성경공부를 위한 노트로 사용할 수 있습니다.

* 히브리어쓰기성경을 통해 하나님의 은혜가 더욱 풍성하고 가득한 신앙의 여정이 되시길 소망합니다.

히브리어 알파벳

형 태	이 름	꼬리형	형 태	이 름	꼬리형
א	알렙		מ	멤	ם
ב	베트		נ	눈	ן
ג	기믈		ס	싸멕	
ד	달렛		ע	아인	
ה	헤		פ	페	ף
ו	바브		צ	차디	ץ
ז	자인		ק	코프	
ח	헤트		ר	레쉬	
ט	테트		שׂ	신	
י	요드		שׁ	쉰	
כ	카프	ך	ת	타브	
ל	라메드				

히브리어 알파벳송

알 - 렙 벳 기-믈 달 - 렛 헤 바 - 브 자 - 인 헬 테 - 트 요-드 카-프
א ב ג ד ה ו ז ח ט י כ
라-메드 멤 - 눈 - 싸 - 멕 아인 페 차 - 디 코프 레 - 쉬 신 쉰 타 - 브
ל מ נ ס ע פ צ ק ר שׂ שׁ ת

히브리어 모음 vowel

	A 아	E 에	I 이	O 오	U 우
장모음	אָ	אֵ		אֹ	
	카메츠	체레		홀렘	
		אֵי	אִי	אוֹ	אוּ
		체레요드	히렉요드	홀렘바브	슈렉
반모음	אֲ	אֱ		אֳ	
	하텝파타	하텝세골		하텝카메츠	
단모음	אַ	אֶ	אִ	אָ	אֻ
	파타	세골	히렉	카메츠하툽	케부츠
		אְ			
		쉐바			
י가 자음으로 쓰일 때	יָ יַ	יֶ יְ יֵ	יִ	יֹ יוֹ	יוּ יֻ
	야	예	이	요	유

히브리어 모음 vowel 은 단순합니다. 아, 에, 이, 오, 우 발음밖에 없습니다. 하지만, 그 형태가 몇 가지 있는데, 장모음, 단모음, 반모음 등으로 나누어집니다. 장모음은 말 그대로 길게 소리를 내는 모음입니다. 단모음은 짧게 소리를 내는 모음입니다. 그러나 현대에는 장 · 단모음과 반모음을 크게 구분하여 사용하지는 않는다고 합니다. 다만, :쉐바 발음은 조금 주의가 필요합니다. :쉐바는 '에' 발음일 때도 있지만, 묵음이 되는 경우도 있기 때문입니다.

תהלים

-시 편-

제 1 권

1편 ~ 41편

1 WLC

1 אַשְׁרֵי־הָאִישׁ אֲשֶׁר ׀ לֹא הָלַךְ בַּעֲצַת רְשָׁעִים וּבְדֶרֶךְ חַטָּאִים

לֹא עָמָד וּבְמוֹשַׁב לֵצִים לֹא יָשָׁב:

2 כִּי אִם בְּתוֹרַת יְהוָה חֶפְצוֹ וּבְתוֹרָתוֹ יֶהְגֶּה יוֹמָם וָלָיְלָה:

3 וְהָיָה כְּעֵץ שָׁתוּל עַל־פַּלְגֵי מָיִם אֲשֶׁר פִּרְיוֹ ׀ יִתֵּן בְּעִתּוֹ וְעָלֵהוּ

לֹא־יִבּוֹל וְכֹל אֲשֶׁר־יַעֲשֶׂה יַצְלִיחַ:

4 לֹא־כֵן הָרְשָׁעִים כִּי אִם־כַּמֹּץ אֲשֶׁר־תִּדְּפֶנּוּ רוּחַ:

5 עַל־כֵּן ׀ לֹא־יָקֻמוּ רְשָׁעִים בַּמִּשְׁפָּט וְחַטָּאִים בַּעֲדַת צַדִּיקִים:

6 כִּי־יוֹדֵעַ יְהוָה דֶּרֶךְ צַדִּיקִים וְדֶרֶךְ רְשָׁעִים תֹּאבֵד:

맛싸성경

1 복 있는 그 사람은 사악한 자들의 조언으로 (따라) 걷지 않고 죄인들의 길에 서지 않으며 비웃는 자들의 자리에 앉지 않으니 2 이는 그의 기쁨은 단지 여호와의 율법에 있으며 그분의 율법을 주야로 그는 (작은) 소리를 내어 읽는도다. 3 그는 물가에 심은 나무와 같아서 제(그)때 그 열매를 맺으며 그 잎사귀가 마르지 않고 그가 행하는 모든 것이 잘 될 것이라. 4 사악한 자들은 그렇지 않으니 이는 그들은 단지 바람에 날아다니는 겨와 같도다. 5 그러므로 사악한 자들은 심판에 서지 못하며 죄인들은 의인들의 회중에 서지 못하니 6 이는 여호와는 의인들의 길은 알아주시나 사악한 자들의 길은 망할 것이라.

NET

1 How blessed is the one who does not follow the advice of the wicked, or stand in the pathway with sinners, or sit in the assembly of scoffers. 2 Instead he finds pleasure in obeying the Lord's commands; he meditates on his commands day and night. 3 He is like a tree planted by flowing streams; it yields its fruit at the proper time, and its leaves never fall off. He succeeds in everything he attempts. 4 Not so with the wicked! Instead they are like wind-driven chaff. 5 For this reason the wicked cannot withstand judgment, nor can sinners join the assembly of the godly. 6 Certainly the Lord guards the way of the godly, but the way of the wicked ends in destruction.

2 WLC

1 לָמָּה רָגְשׁוּ גוֹיִם וּלְאֻמִּים יֶהְגּוּ־רִיק׃

2 יִתְיַצְּבוּ ׀ מַלְכֵי־אֶרֶץ וְרוֹזְנִים נוֹסְדוּ־יָחַד עַל־יְהוָה וְעַל־מְשִׁיחוֹ׃

3 נְנַתְּקָה אֶת־מוֹסְרוֹתֵימוֹ וְנַשְׁלִיכָה מִמֶּנּוּ עֲבֹתֵימוֹ׃

4 יוֹשֵׁב בַּשָּׁמַיִם יִשְׂחָק אֲדֹנָי יִלְעַג־לָמוֹ׃

5 אָז יְדַבֵּר אֵלֵימוֹ בְאַפּוֹ וּבַחֲרוֹנוֹ יְבַהֲלֵמוֹ׃

6 וַאֲנִי נָסַכְתִּי מַלְכִּי עַל־צִיּוֹן הַר־קָדְשִׁי׃

맛싸성경

1 어찌하여 열방들이 들뜨며 민족들이 쓸데없이 작당하는가? 2 땅(세상)의 왕들이 방해하며 여호와와 그분의 기름 부음 받은 자에 대하여 통치자들이 다 함께 모의하여 3 "그(들의) 결박들을 우리가 부숴버리며 그(들의 결박하는) 줄을 우리에게서 던져버리자." (하도다). 4 하늘에 앉으신 분께서 웃으시며 주께서 그들을 조롱하신다. 5 그때 그분이 그들에게 그분의 분노로 말씀하실 것이며 그분의 진노로 그들을 두렵게 하시며 6 "그러나 내가 내 왕을 나의 거룩한 산 시온에 세웠도다." (하시리라).

NET

1 Why do the nations rebel? Why are the countries devising plots that will fail? 2 The kings of the earth form a united front; the rulers collaborate against the Lord and his anointed king. 3 They say, "Let's tear off the shackles they've put on us. Let's free ourselves from their ropes." 4 The one enthroned in heaven laughs in disgust; the Lord taunts them. 5 Then he angrily speaks to them and terrifies them in his rage, saying, 6 "I myself have installed my king on Zion, my holy hill."

2 WLC

7 אֲסַפְּרָה אֶל חֹק יְהוָה אָמַר אֵלַי בְּנִי אַתָּה אֲנִי הַיּוֹם יְלִדְתִּיךָ:

8 שְׁאַל מִמֶּנִּי וְאֶתְּנָה גוֹיִם נַחֲלָתֶךָ וַאֲחֻזָּתְךָ אַפְסֵי־אָרֶץ:

9 תְּרֹעֵם בְּשֵׁבֶט בַּרְזֶל כִּכְלִי יוֹצֵר תְּנַפְּצֵם:

10 וְעַתָּה מְלָכִים הַשְׂכִּילוּ הִוָּסְרוּ שֹׁפְטֵי אָרֶץ:

11 עִבְדוּ אֶת־יְהוָה בְּיִרְאָה וְגִילוּ בִּרְעָדָה:

12 נַשְּׁקוּ־בַר פֶּן־יֶאֱנַף ׀ וְתֹאבְדוּ דֶרֶךְ כִּי־יִבְעַר כִּמְעַט אַפּוֹ אַשְׁרֵי
כָּל־חוֹסֵי בוֹ:

맛싸성경

7 내가 여호와의 규범을 선포하니 그분이 내게 말씀하셨다. "너는 내 아들이라. 내가 오늘날 너를 낳았도다. 8 나에게 구하면 내가 열방을 네 소유로 줄 것이니 땅 끝(까지) 네 재산이 될 것이라. 9 네가 철 막대기로 그들을 박살 낼 것이며 토기장이의 그릇들같이 부술 것이라." 10 그러므로 이제 왕들이여, 통찰력을 가지라. 땅(세상)의 재판관들이여, 교훈을 받아라. 11 두려움으로 여호와를 섬기며 떨림으로 기뻐하여라. 12 그분의 진노가 급하게 타오를 것이기 때문에 그 아들에게 입 맞추어 그분이 화내시지 않게 하고 너희가 길에서 멸망하지 않도록 하라. 복 있는 자는 그분 안에 피하는 모든 자들이라.

NET

7 The king says, "I will announce the Lord's decree. He said to me: 'You are my son. This very day I have become your father. 8 Ask me, and I will give you the nations as your inheritance, the ends of the earth as your personal property. 9 You will break them with an iron scepter; you will smash them like a potter's jar.'" 10 So now, you kings, do what is wise; you rulers of the earth, submit to correction. 11 Serve the Lord in fear. Repent in terror. 12 Give sincere homage. Otherwise he will be angry, and you will die because of your behavior, when his anger quickly ignites. How blessed are all who take shelter in him!

3 WLC

1 מִזְמוֹר לְדָוִד בְּבָרְחוֹ מִפְּנֵי ׀ אַבְשָׁלוֹם בְּנוֹ׃

2 יְהוָה מָה־רַבּוּ צָרָי רַבִּים קָמִים עָלָי׃

3 רַבִּים אֹמְרִים לְנַפְשִׁי אֵין יְשׁוּעָתָה לּוֹ בֵאלֹהִים סֶלָה׃

4 וְאַתָּה יְהוָה מָגֵן בַּעֲדִי כְּבוֹדִי וּמֵרִים רֹאשִׁי׃

5 קוֹלִי אֶל־יְהוָה אֶקְרָא וַיַּעֲנֵנִי מֵהַר קָדְשׁוֹ סֶלָה׃

6 אֲנִי שָׁכַבְתִּי וָאִישָׁנָה הֱקִיצוֹתִי כִּי יְהוָה יִסְמְכֵנִי׃

7 לֹא־אִירָא מֵרִבְבוֹת עָם אֲשֶׁר סָבִיב שָׁתוּ עָלָי׃

8 קוּמָה יְהוָה ׀ הוֹשִׁיעֵנִי אֱלֹהַי כִּי־הִכִּיתָ אֶת־כָּל־אֹיְבַי
לֶחִי שִׁנֵּי רְשָׁעִים שִׁבַּרְתָּ׃

9 לַיהוָה הַיְשׁוּעָה עַל־עַמְּךָ בִרְכָתֶךָ סֶּלָה׃

맛싸성경

(히 3:1) [다윗의 시. 그의 아들 아브샬롬(압살롬)의 앞에서부터 도망할 때] **1(2)** 여호와시여! 내 대적이 얼마나 많은지요. 많은 자들이 나를 대항하여 일어났나이다. **2(3)** 많은 사람들이 내 생명에 대하여 말하기를 "그에게는 하나님으로 구원이 없도다." 하나이다. 쎌라. **3(4)** 그러나 주 여호와시여! (주는) 내 옆의 방패시고 내 영광이시며 내 머리를 드시는(높이시는) 분이시나이다. **4(5)** 내 음성으로 여호와께 내가 부르짖으리니 그분의 거룩한 산에서부터 내게 대답하실 것이라. 쎌라. **5(6)** 내가 눕고 자고 깨어났으니 이는 여호와께서 나를 지지하심이라. **6(7)** 나는 (수)만 명의 사람들을 두려워하지 않을 것이니 (곧) 그들이 나를 둘러싸고 있음이라. **7(8)** 일어나소서. 여호와시여! 나를 구원하소서. 나의 하나님이시여! 이는 주께서 내 모든 원수들의 턱(뺨)을 치셨으며 주께서 사악한 자들의 이(빨)들을 부수셨음이라. **8(9)** 여호와께(만) 구원이 있으며 주의 백성들 위에 주의 복이 있음이라. 쎌라.

NET

1(H 3:1) A psalm of David, written when he fled from his son Absalom. **(2)** Lord, how numerous are my enemies! Many attack me. **2(3)** Many say about me, "God will not deliver him." (Selah) **3(4)** But you, Lord, are a shield that protects me; you are my glory and the one who restores me. **4(5)** To the Lord I cried out, and he answered me from his holy hill. (Selah) **5(6)** I rested and slept; I awoke, for the Lord protects me. **6(7)** I am not afraid of the multitude of people who attack me from all directions. **7(8)** Rise up, Lord! Deliver me, my God! Yes, you will strike all my enemies on the jaw; you will break the teeth of the wicked. **8(9)** The Lord delivers; you show favor to your people. (Selah)

4 WLC

1 לַמְנַצֵּחַ בִּנְגִינוֹת מִזְמוֹר לְדָוִד׃

2 בְּקָרְאִי עֲנֵנִי ׀ אֱלֹהֵי צִדְקִי בַּצָּר הִרְחַבְתָּ לִּי חָנֵּנִי וּשְׁמַע תְּפִלָּתִי׃

3 בְּנֵי אִישׁ עַד־מֶה כְבוֹדִי לִכְלִמָּה תֶּאֱהָבוּן רִיק תְּבַקְשׁוּ כָזָב סֶלָה׃

4 וּדְעוּ כִּי־הִפְלָה יְהוָה חָסִיד לוֹ יְהוָה יִשְׁמַע בְּקָרְאִי אֵלָיו׃

5 רִגְזוּ וְאַל־תֶּחֱטָאוּ אִמְרוּ בִלְבַבְכֶם עַל־מִשְׁכַּבְכֶם וְדֹמּוּ סֶלָה׃

6 זִבְחוּ זִבְחֵי־צֶדֶק וּבִטְחוּ אֶל־יְהוָה׃

7 רַבִּים אֹמְרִים מִי־יַרְאֵנוּ טוֹב נְסָה־עָלֵינוּ אוֹר פָּנֶיךָ יְהוָה׃

8 נָתַתָּה שִׂמְחָה בְלִבִּי מֵעֵת דְּגָנָם וְתִירוֹשָׁם רָבּוּ׃

9 בְּשָׁלוֹם יַחְדָּו אֶשְׁכְּבָה וְאִישָׁן כִּי־אַתָּה יְהוָה לְבָדָד לָבֶטַח תּוֹשִׁיבֵנִי׃

맛싸성경

(히, 4:1) [지휘자를 따라 현악기들에 맞춘 다윗의 시] 1(2) 내 의의 하나님이시여! 내가 부르짖을 때 내게 응답하옵소서. 고통중에서 주께서 나를 넓게 하셨나이다. 내게 은혜를 베푸시며 내 기도를 들어주소서. 2(3) 사람의 아들들아, 언제까지 내 영광을 모욕이 되게 하고 무익한 일을 사랑하며 속이는 것을 구하느냐? 셀라. 3(4) 그러나 여호와께서 자신을 위하여 경건한 자(신실한 자, 성도)를 특별히 대하시는 것을 알아라. 내가 주께 부르짖을 때 여호와께서(그분께서) 들어주실 것이라. 4(5) 너희들은 흥분하여도 죄를 짓지 마라. 너희들은 너희 침상 위에서 너희 마음으로 말하고 통곡하여라.셀라. 5(6) 의의 희생들을 드리며 여호와를 신뢰하여라. 6(7) 많은 사람들이 말하기를 "누가 우리들에게 선을 보여 주겠느냐?" (하니) 여호와시여! 주의 얼굴빛을 우리들 위로 들어주소서(비추소서). 7(8) 주께서 내 마음에 주신 기쁨이 그들의 곡식과 그들의 새 포도주가 풍성할 때보다 더하나이다. 8(9) 내가 평안함으로 눕기도 하고 잘 것이니 이는 오직 주 여호와께서만 나를 안전하게 거하도록 해 주시기 때문이니이다.

NET

1(H 4:1) For the music director, to be accompanied by stringed instruments; a psalm of David. (2) When I call out, answer me, O God who vindicates me. Though I am hemmed in, you will lead me into a wide, open place. Have mercy on me and respond to my prayer. 2(3) You men, how long will you try to turn my honor into shame? How long will you love what is worthless and search for what is deceptive? (Selah) 3(4) Realize that the Lord shows the godly special favor; the Lord responds when I cry out to him. 4(5) Tremble with fear and do not sin. Meditate as you lie in bed, and repent of your ways. (Selah) 5(6) Offer the prescribed sacrifices and trust in the Lord. 6(7) Many say, "Who can show us anything good?" Smile upon us, Lord! 7(8) You make me happier than those who have abundant grain and wine. 8(9) I will lie down and sleep peacefully, for you, Lord, make me safe and secure.

5 WLC

1 לַמְנַצֵּחַ אֶל־הַנְּחִילוֹת מִזְמוֹר לְדָוִד׃

2 אֲמָרַי הַאֲזִינָה ׀ יְהוָה בִּינָה הֲגִיגִי׃

3 הַקְשִׁיבָה ׀ לְקוֹל שַׁוְעִי מַלְכִּי וֵאלֹהָי כִּי־אֵלֶיךָ אֶתְפַּלָּל׃

4 יְהוָה בֹּקֶר תִּשְׁמַע קוֹלִי בֹּקֶר אֶעֱרָךְ־לְךָ וַאֲצַפֶּה׃

5 כִּי ׀ לֹא אֵל־חָפֵץ רֶשַׁע ׀ אָתָּה לֹא יְגֻרְךָ רָע׃

6 לֹא־יִתְיַצְּבוּ הוֹלְלִים לְנֶגֶד עֵינֶיךָ שָׂנֵאתָ כָּל־פֹּעֲלֵי אָוֶן׃

7 תְּאַבֵּד דֹּבְרֵי כָזָב אִישׁ־דָּמִים וּמִרְמָה יְתָעֵב ׀ יְהוָה׃

맛싸성경

(히, 5:1) [지휘자를 따라 관악기들에 맞춘 다윗의 시] 1(2) 여호와시여! 내 말(들)에 귀 기울여 주소서. 내 탄식에 주의를 기울여 주소서. 2(3) 나의 왕 나의 하나님이시여! 도움을 구하는 소리를 경청해 주소서. 이는 주께 내가 기도하기 때문입니다. 3(4) 여호와시여! 아침에 주께서 내 음성을 들으실 것이니 아침에 내가 주께 나열하며 지켜보나이다. 4(5) 이는 주께서는 죄악을 기뻐하는 하나님이 아니시니 악한 자가 주와 함께 거할 수 없나이다. 5(6) 정신없는 자들은 주의 눈들 앞에 서지 못할 것이니 주께서 사악을 행하는 모든 자들을 미워하시나이다. 6(7) 주께서 거짓말을 하는 자들을 멸하실 것이니 여호와께서는 피(들)의 사람과 속이는 자들을 혐오하시나이다.

NET

1(H 5:1) For the music director, to be accompanied by wind instruments; a psalm of David. Listen to what I say, (2) Lord! Carefully consider my complaint! 2(3) Pay attention to my cry for help, my King and my God, for I am praying to you! 3(4) Lord, in the morning you will hear me; in the morning I will present my case to you and then wait expectantly for an answer. 4(5) Certainly you are not a God who approves of evil; evil people cannot dwell with you. 5(6) Arrogant people cannot stand in your presence; you hate all who behave wickedly. 6(7) You destroy liars; the Lord despises violent and deceitful people.

5 WLC

8 וַאֲנִי בְּרֹב חַסְדְּךָ אָבוֹא בֵיתֶךָ אֶשְׁתַּחֲוֶה אֶל־הֵיכַל־קָדְשְׁךָ בְּיִרְאָתֶךָ׃

9 יְהוָה ׀ נְחֵנִי בְצִדְקָתֶךָ לְמַעַן שׁוֹרְרָי [הוֹשַׁר כ] (הַיְשַׁר ק) לְפָנַי דַּרְכֶּךָ׃

10 כִּי אֵין בְּפִיהוּ נְכוֹנָה קִרְבָּם הַוּוֹת קֶבֶר־פָּתוּחַ גְּרוֹנָם לְשׁוֹנָם יַחֲלִיקוּן׃

11 הַאֲשִׁימֵם ׀ אֱלֹהִים יִפְּלוּ מִמֹּעֲצוֹתֵיהֶם בְּרֹב פִּשְׁעֵיהֶם הַדִּיחֵמוֹ כִּי־מָרוּ בָךְ׃

12 וְיִשְׂמְחוּ כָל־חוֹסֵי בָךְ לְעוֹלָם יְרַנֵּנוּ וְתָסֵךְ עָלֵימוֹ וְיַעְלְצוּ בְךָ אֹהֲבֵי שְׁמֶךָ׃

13 כִּי־אַתָּה תְּבָרֵךְ צַדִּיק יְהוָה כַּצִּנָּה רָצוֹן תַּעְטְרֶנּוּ׃

맛싸성경

7(히, 5:8) 그러나 나는 주의 크신 인애로 주의 전으로 (내가) 들어가며 주의 거룩한 성전을 향해서 주를 경외함으로 (내가) 예배할 것입니다. 8(9) 여호와시여! 내 원수들로 인하여 주의 의로움으로 나를 인도하시고 주의 길을 내 앞에서 바르게 하소서. 9(10) 이는 그(들)의 입에는 믿을 수 있는 것이 하나도 없고 그들의 내면은 멸망이며 그들의 목구멍은 열린 무덤이고 그들의 혀는 아첨하나이다. 10(11) 하나님이시여! 그들로 죄 (값)을 치르게 하시고 그들의 계획(꾀)에 그들로 넘어지게 하시고 그들의 많은 위반들로 인해서 그들을 쫓아내소서. 이는 그들은 주를 반역하였기 때문입니다. 11(12) 그러나 주께 피하는 모든 자들로 기뻐하게 하시며 영원히 크게 소리치게 하소서. 주께서 그들 위로 접근하지 말게 하옵소서. 그래서 주의 이름을 사랑하는 자들이 주로 즐거워하게 하소서. 12(13) 이는 주시여! 여호와는 의로운 자를 복 주시고 방패같이 기쁨으로 그를 둘러싸 주시리이다.

NET

7(H 5:8) But as for me, because of your great faithfulness I will enter your house; I will bow down toward your holy temple as I worship you. 8(9) Lord, lead me in your righteousness because of those who wait to ambush me, remove the obstacles in the way in which you are guiding me. 9(10) For they do not speak the truth; their stomachs are like the place of destruction, their throats like an open grave, their tongues like a steep slope leading into it. 10(11) Condemn them, O God! May their own schemes be their downfall. Drive them away because of their many acts of insurrection, for they have rebelled against you. 11(12) But may all who take shelter in you be happy. May they continually shout for joy. Shelter them so that those who are loyal to you may rejoice. 12(13) Certainly you reward the godly, Lord. Like a shield you protect them in your good favor.

6 WLC

1 לַמְנַצֵּחַ בִּנְגִינוֹת עַל־הַשְּׁמִינִית מִזְמוֹר לְדָוִד׃

2 יְהוָה אַל־בְּאַפְּךָ תוֹכִיחֵנִי וְאַל־בַּחֲמָתְךָ תְיַסְּרֵנִי׃

3 חָנֵּנִי יְהוָה כִּי אֻמְלַל אָנִי רְפָאֵנִי יְהוָה כִּי נִבְהֲלוּ עֲצָמָי׃

4 וְנַפְשִׁי נִבְהֲלָה מְאֹד [וְאַתְּ כ] (וְאַתָּה ק) יְהוָה עַד־מָתָי׃

5 שׁוּבָה יְהוָה חַלְּצָה נַפְשִׁי הוֹשִׁיעֵנִי לְמַעַן חַסְדֶּךָ׃

6 כִּי אֵין בַּמָּוֶת זִכְרֶךָ בִּשְׁאוֹל מִי יוֹדֶה־לָּךְ׃

맛싸성경

(히, 6:1) [지휘자를 따라 현악기 여덟째 줄에 맞춘 다윗의 시] 1(2) 여호와시여! 주의 분노로 나를 책망하지 마시고 주의 진노로 나를 징계하지 마소서. 2(3) 내게 은혜를 베푸소서. 여호와시여! 이는 내가 연약하기 때문입니다. 여호와시여! 나를 고쳐 주소서. 이는 내 뼈들이 무서워하기 때문입니다. 3(4) 내 영혼도 매우 무서워하고 있나이다. 그러나 주 여호와시여! 언제까지입니까? 4(5) 여호와시여! 돌아오셔서 내 영혼을 구출하여 주소서. 주의 인애로 나를 구원하여 주소서. 5(6) 이는 죽음에서 주를 기억함이 없으며 셰올에서 누가 주를 찬양하겠나이까?

NET

1(H 6:1) For the music director, to be accompanied by stringed instruments, according to the sheminith style; a psalm of David. (2) Lord, do not rebuke me in your anger. Do not discipline me in your raging fury. 2(3) Have mercy on me, Lord, for I am frail. Heal me, Lord, for my bones are shaking. 3(4) I am absolutely terrified, and you, Lord—how long will this continue? 4(5) Relent, Lord, rescue me! Deliver me because of your faithfulness. 5(6) For no one remembers you in the realm of death. In Sheol who gives you thanks?

6 WLC

7 יָגַעְתִּי ׀ בְּאַנְחָתִי אַשְׂחֶה בְכָל־לַיְלָה מִטָּתִי בְּדִמְעָתִי עַרְשִׂי אַמְסֶה:

8 עָשְׁשָׁה מִכַּעַס עֵינִי עָתְקָה בְּכָל־צוֹרְרָי:

9 סוּרוּ מִמֶּנִּי כָּל־פֹּעֲלֵי אָוֶן כִּי־שָׁמַע יְהוָה קוֹל בִּכְיִי:

10 שָׁמַע יְהוָה תְּחִנָּתִי יְהוָה תְּפִלָּתִי יִקָּח:

11 יֵבֹשׁוּ ׀ וְיִבָּהֲלוּ מְאֹד כָּל־אֹיְבָי יָשֻׁבוּ יֵבֹשׁוּ רָגַע:

맛싸성경

6(히, 6:7) 내 탄식으로 나는 피곤하였으며 나는 매일 밤 내 침상을 넘치게 하였으며 내 눈물로 내 잠자리를 범람하게 하였나이다. 7(8) 내 눈(들)이 슬픔으로 쇠약해졌으며 내 모든 대적자로 그것들은 노쇠해졌나이다. 8(9) 사악을 행하는 모든 자들아, 내게서 떠나가라. 이는 여호와께서 내 울음소리를 들으셨음이라. 9(10) 여호와께서 내 간구를 들으시며 여호와께서 내 기도를 받으실 것이라. 10(11) 내 모든 원수들이 부끄러움을 당하며 매우 무서워하게 하소서. 그들로 돌아가서 갑자기 수치를 당하게 하소서.

NET

6(H 6:7) I am exhausted as I groan. All night long I drench my bed in tears; my tears saturate the cushion beneath me. 7(8) My eyes grow dim from suffering; they grow weak because of all my enemies. 8(9) Turn back from me, all you who behave wickedly, for the Lord has heard the sound of my weeping. 9(10) The Lord has heard my appeal for mercy; the Lord has accepted my prayer. 10(11) They will be humiliated and absolutely terrified. All my enemies will turn back and be suddenly humiliated.

7 WLC

1 שִׁגָּיוֹן לְדָוִד אֲשֶׁר־שָׁר לַיהוָה עַל־דִּבְרֵי־כוּשׁ בֶּן־יְמִינִי׃

2 יְהוָה אֱלֹהַי בְּךָ חָסִיתִי הוֹשִׁיעֵנִי מִכָּל־רֹדְפַי וְהַצִּילֵנִי׃

3 פֶּן־יִטְרֹף כְּאַרְיֵה נַפְשִׁי פֹּרֵק וְאֵין מַצִּיל׃

4 יְהוָה אֱלֹהַי אִם־עָשִׂיתִי זֹאת אִם־יֶשׁ־עָוֶל בְּכַפָּי׃

5 אִם־גָּמַלְתִּי שׁוֹלְמִי רָע וָאֲחַלְּצָה צוֹרְרִי רֵיקָם׃

6 יִרַדֹּף אוֹיֵב ׀ נַפְשִׁי וְיַשֵּׂג וְיִרְמֹס לָאָרֶץ חַיָּי וּכְבוֹדִי ׀ לֶעָפָר יַשְׁכֵּן סֶלָה׃

7 קוּמָה יְהוָה ׀ בְּאַפֶּךָ הִנָּשֵׂא בְּעַבְרוֹת צוֹרְרָי וְעוּרָה אֵלַי מִשְׁפָּט צִוִּיתָ׃

8 וַעֲדַת לְאֻמִּים תְּסוֹבְבֶךָּ וְעָלֶיהָ לַמָּרוֹם שׁוּבָה׃

9 יְהוָה יָדִין עַמִּים שָׁפְטֵנִי יְהוָה כְּצִדְקִי וּכְתֻמִּי עָלָי׃

맛싸성경

(히, 7:1) [다윗이 베냐민 사람 구스 사람들의 말에 대하여 여호와께 노래한 다윗의 쉿가욘] 1(2) 여호와 나의 하나님이시여! 주 안에 내가 피하오니 나를 추격하는 모든 자들로부터 나를 구원하시고 나를 구출하소서. 2(3) 구출할 자가 없사오니 그(들)이 나의 생명을 사자같이 찢지 않도록 멀리 두소서. 3(4) 여호와 나의 하나님이시여! 만일 내가 이 일을 했으며 만일 내 손에 부정이 있거나 4(5) 만일 내게 화목하는 자에게 내가 악을 보였거나 내 대적들에게 이유 없이 약탈하였다면 5(6) 원수가 내 생명을 추격하여 붙잡게 하시고 그가 땅에서 내 생명을 짓밟게 하시며 내 영광을 흙에서 머물게 하소서. 쎌라. 6(7) 주의 진노로 일어나소서. 여호와시여! 내 대적들에게 격노로 높이 드소서. 나를 위해 깨소서. 주께서 심판을 명령하셨나이다. 7(8) 민족들의 회중이 주를 두르게 하시며 (주는) 그(들) 위로 높이 돌아오소서. 8(9) 여호와께서는 백성들을 판단하시며 여호와시여! 내 의와 내게 있는 내 온전함을 따라 나를 심판하소서.

NET

1(H 7:1) A musical composition by David, which he sang to the Lord concerning a Benjaminite named Cush. (2) O Lord my God, in you I have taken shelter. Deliver me from all who chase me. Rescue me! 2(3) Otherwise they will rip me to shreds like a lion; they will tear me to bits and no one will be able to rescue me. 3(4) O Lord my God, if I have done what they say, or am guilty of unjust actions, 4(5) or have wronged my ally, or helped his lawless enemy, 5(6) may an enemy relentlessly chase me and catch me; may he trample me to death and leave me lying dishonored in the dust. (Selah) 6(7) Stand up angrily, Lord. Rise up with raging fury against my enemies. Wake up for my sake, and execute the judgment you have decreed for them. 7(8) The countries are assembled all around you; take once more your rightful place over them. 8(9) The Lord judges the nations. Vindicate me, Lord, because I am innocent, because I am blameless, O Exalted One.

7 WLC

10 יִגְמָר־נָא רַע ׀ רְשָׁעִים וּתְכוֹנֵן צַדִּיק וּבֹחֵן לִבּוֹת וּכְלָיוֹת אֱלֹהִים צַדִּיק׃

11 מָגִנִּי עַל־אֱלֹהִים מוֹשִׁיעַ יִשְׁרֵי־לֵב׃

12 אֱלֹהִים שׁוֹפֵט צַדִּיק וְאֵל זֹעֵם בְּכָל־יוֹם׃

13 אִם־לֹא יָשׁוּב חַרְבּוֹ יִלְטוֹשׁ קַשְׁתּוֹ דָרַךְ וַיְכוֹנְנֶהָ׃

14 וְלוֹ הֵכִין כְּלֵי־מָוֶת חִצָּיו לְדֹלְקִים יִפְעָל׃

15 הִנֵּה יְחַבֶּל־אָוֶן וְהָרָה עָמָל וְיָלַד שָׁקֶר׃

16 בּוֹר כָּרָה וַיַּחְפְּרֵהוּ וַיִּפֹּל בְּשַׁחַת יִפְעָל׃

17 יָשׁוּב עֲמָלוֹ בְרֹאשׁוֹ וְעַל קָדְקֳדוֹ חֲמָסוֹ יֵרֵד׃

18 אוֹדֶה יְהוָה כְּצִדְקוֹ וַאֲזַמְּרָה שֵׁם־יְהוָה עֶלְיוֹן׃

맛싸성경

9(히, 7:10) 이제 악인들의 악이 갚아지게 하시고 주께서는 의인들을 (견고히) 세우시며 또 의로우신 하나님은 마음과 내면을 시험하시나이다. **10(11)** 내 방패는 하나님께 있으니 (곧) 마음이 올바른 자들을 구원하시는 분이시라. **11(12)** 하나님은 의로우신 재판장이시며 또 하나님은 온종일 진노하시도다. **12(13)** 만일 그가 돌아오지 않으면 그분이 그의 칼을 날카롭게 하며 그분의 활을 당겨서 그것을 겨눌 것이라. **13(14)** 그분에게는 죽음의 무기들이 준비되어 있으며 불붙은 화살들을 만드셨도다. **14(15)** 보아라, 그가 재앙을 배고 해악을 잉태하며 거짓을 낳는구나. **15(16)** 그가 웅덩이를 파고 그것을 긁어내면 그는 그가 만든 그 구덩이에 빠질 것이라. **16(17)** 그의 재앙이 그의 머리로 되돌아가고 그의 두개골 위로 폭력이 내릴 것이라. **17(18)** 나는 여호와께 그분의 의를 따라 (감사함으로) 찬양하며 지극히 높으신 여호와의 이름을 노래할 것이라.

NET

9(H 7:10) May the evil deeds of the wicked come to an end. But make the innocent secure, O righteous God, you who examine inner thoughts and motives. **10(11)** The Exalted God is my shield, the one who delivers the morally upright. **11(12)** God is a just judge; he is angry throughout the day. **12(13)** If a person does not repent, God will wield his sword. He has prepared to shoot his bow. **13(14)** He has prepared deadly weapons to use against him; he gets ready to shoot flaming arrows. **14(15)** See the one who is pregnant with wickedness, who conceives destructive plans, and gives birth to harmful lies— **15(16)** he digs a pit and then falls into the hole he has made. **16(17)** He becomes the victim of his own destructive plans—and the violence he intended for others falls on his own head. **17(18)** I will thank the Lord for his justice; I will sing praises to the Lord Most High!

8 WLC

1 לַמְנַצֵּחַ עַל־הַגִּתִּית מִזְמוֹר לְדָוִד׃

2 יְהוָה אֲדֹנֵינוּ מָה־אַדִּיר שִׁמְךָ בְּכָל־הָאָרֶץ אֲשֶׁר תְּנָה הוֹדְךָ עַל־הַשָּׁמָיִם׃

3 מִפִּי עוֹלְלִים ׀ וְיֹנְקִים יִסַּדְתָּ עֹז לְמַעַן צוֹרְרֶיךָ לְהַשְׁבִּית אוֹיֵב וּמִתְנַקֵּם׃

4 כִּי־אֶרְאֶה שָׁמֶיךָ מַעֲשֵׂי אֶצְבְּעֹתֶיךָ יָרֵחַ וְכוֹכָבִים אֲשֶׁר כּוֹנָנְתָּה׃

5 מָה־אֱנוֹשׁ כִּי־תִזְכְּרֶנּוּ וּבֶן־אָדָם כִּי תִפְקְדֶנּוּ׃

맛싸성경

(히, 8:1) [지휘자를 따라 깃딧에 맞춘 다윗의 시]
1(히, 8:2) 여호와 우리들의 주시여! 얼마나 주의 이름
이 온 땅에 장엄하신지요. 주의 위엄을 하늘(들) 위에
두셨나이다. 2(3) 어린아이들과 젖먹이들의 입을 통
해 주께서 능력의 기초를 놓으셨고 주의 (당신의) 대
적들 (곧) 원수와 보복자들을 제거하려하심입니다.
3(4) 주의 손가락으로 만드신 주의 하늘(들)과 주께서
세워 두신 달과 별(들)을 내가 보오니 4(5) 인간이 누
구이기에 주께서 그를 기억하시며 또 사람의 아들이
누구이기에 주께서 그를 염려하시나이까?

NET

1(H 8:1) For the music director, according to
the gittith style; a psalm of David. (2) O Lord,
our Lord, how magnificent is your reputation
throughout the earth! You reveal your majesty
in the heavens above. 2(3) From the mouths of
children and nursing babies you have ordained
praise on account of your adversaries, so that
you might put an end to the vindictive enemy.
3(4) When I look up at the heavens, which your
fingers made, and see the moon and the stars,
which you set in place, 4(5) Of what importance
is the human race, that you should notice
them? Of what importance is mankind, that you
should pay attention to them?

8 WLC

6 וַתְּחַסְּרֵהוּ מְּעַט מֵאֱלֹהִים וְכָבוֹד וְהָדָר תְּעַטְּרֵהוּ׃

7 תַּמְשִׁילֵהוּ בְּמַעֲשֵׂי יָדֶיךָ כֹּל שַׁתָּה תַחַת־רַגְלָיו׃

8 צֹנֶה וַאֲלָפִים כֻּלָּם וְגַם בַּהֲמוֹת שָׂדָי׃

9 צִפּוֹר שָׁמַיִם וּדְגֵי הַיָּם עֹבֵר אָרְחוֹת יַמִּים׃

10 יְהוָה אֲדֹנֵינוּ מָה־אַדִּיר שִׁמְךָ בְּכָל־הָאָרֶץ׃

맛싸성경

5(히, 8:6) 주께서 그를 하나님보다 조금 부족하게 하셨으며 또 주께서 영광과 존귀로 관을 씌우셨나이다. 6(7) 주께서 주의 손으로 만드신 것을 그로 다스리게 하셨으며 그의 발 아래로 모든 것을 두셨으니 7(8) (곧) 모든 양 떼와 소 떼와 또한 들의 짐승들과 8(9) 하늘의 새(들)와 바다의 물고기들과 바다의 길들을 지나가는 것들이라. 9(10) 여호와 우리들의 주시여! 얼마나 주의 이름이 온 땅에 장엄하신지요.

NET

5(H 8:6) You made them a little less than the heavenly beings. You crowned mankind with honor and majesty. 6(7) you appoint them to rule over your creation; you have placed everything under their authority, 7(8) including all the sheep and cattle, as well as the wild animals, 8(9) the birds in the sky, the fish in the sea, and everything that moves through the currents of the seas. 9(10) O Lord, our Lord, how magnificent is your reputation throughout the earth!

9 WLC

1 לַמְנַצֵּחַ עַלְמוּת לַבֵּן מִזְמוֹר לְדָוִד׃

2 אוֹדֶה יְהוָה בְּכָל־לִבִּי אֲסַפְּרָה כָּל־נִפְלְאוֹתֶיךָ׃

3 אֶשְׂמְחָה וְאֶעֶלְצָה בָךְ אֲזַמְּרָה שִׁמְךָ עֶלְיוֹן׃

4 בְּשׁוּב־אוֹיְבַי אָחוֹר יִכָּשְׁלוּ וְיֹאבְדוּ מִפָּנֶיךָ׃

5 כִּי־עָשִׂיתָ מִשְׁפָּטִי וְדִינִי יָשַׁבְתָּ לְכִסֵּא שׁוֹפֵט צֶדֶק׃

6 גָּעַרְתָּ גוֹיִם אִבַּדְתָּ רָשָׁע שְׁמָם מָחִיתָ לְעוֹלָם וָעֶד׃

7 הָאוֹיֵב ׀ תַּמּוּ חֳרָבוֹת לָנֶצַח וְעָרִים נָתַשְׁתָּ אָבַד זִכְרָם הֵמָּה׃

8 וַיהוָה לְעוֹלָם יֵשֵׁב כּוֹנֵן לַמִּשְׁפָּט כִּסְאוֹ׃

맛싸성경

(히, 9:1) [지휘자를 위하여 '뭇 라벤'(아들의 죽음)에 맞춘 다윗의 노래] **1(2)** 내가 전심으로 여호와를 찬양하며 주의 모든 놀라운 일들을 선포하리이다. **2(3)** 내가 주 안에서 즐거워하고 기뻐하며 지극히 높으신 주의 이름을 노래하리이다. **3(4)** 내 원수들이 뒤로 물러갈 때 그들은 비틀거리고 주의 얼굴 앞에서 망할 것이라. **4(5)** 이는 주께서 내 소송과 내 송사를 행하시며 보좌에 의의 재판자로서 앉으셨기 때문이니이다. **5(6)** 주께서 민족들을 책망하시고 사악한 자를 멸하셨으며 그들의 이름을 주께서 영원 무궁히 도말하셨나이다. **6(7)** 원수들이여 파괴(들)로 영원히 끝났고 네가 그 도시들을 파괴하였으나 그것들의 기억들은 사라져버렸도다. **7(8)** 그러나 여호와는 영원히 앉아 계실 것이며 심판을 위해서 그 보좌를 세우시도다.

NET

1(H 9:1) For the music director, according to the alumoth-labben style; a psalm of David. **(2)** I will thank the Lord with all my heart! I will tell about all your amazing deeds. **2(3)** I will be happy and rejoice in you. I will sing praises to you, O Most High. **3(4)** When my enemies turn back, they trip and are defeated before you. **4(5)** For you defended my just cause; from your throne you pronounced a just decision. **5(6)** You terrified the nations with your battle cry. You destroyed the wicked; you permanently wiped out all memory of them. **6(7)** The enemy's cities have been reduced to permanent ruins. You destroyed their cities; all memory of the enemies has perished. **7(8)** But the Lord rules forever; he reigns in a just manner.

9 WLC

9 וְהוּא יִשְׁפֹּט־תֵּבֵל בְּצֶדֶק יָדִין לְאֻמִּים בְּמֵישָׁרִים׃

10 וִיהִי יְהוָה מִשְׂגָּב לַדָּךְ מִשְׂגָּב לְעִתּוֹת בַּצָּרָה׃

11 וְיִבְטְחוּ בְךָ יוֹדְעֵי שְׁמֶךָ כִּי לֹא־עָזַבְתָּ דֹרְשֶׁיךָ יְהוָה׃

12 זַמְּרוּ לַיהוָה יֹשֵׁב צִיּוֹן הַגִּידוּ בָעַמִּים עֲלִילוֹתָיו׃

13 כִּי־דֹרֵשׁ דָּמִים אוֹתָם זָכָר לֹא־שָׁכַח צַעֲקַת [עֲנִיִּים כ] (עֲנָוִים ק)׃

14 חָנְנֵנִי יְהוָה רְאֵה עָנְיִי מִשֹּׂנְאָי מְרוֹמְמִי מִשַּׁעֲרֵי מָוֶת׃

15 לְמַעַן אֲסַפְּרָה כָּל־תְּהִלָּתֶיךָ בְּשַׁעֲרֵי בַת־צִיּוֹן אָגִילָה בִּישׁוּעָתֶךָ׃

16 טָבְעוּ גוֹיִם בְּשַׁחַת עָשׂוּ בְּרֶשֶׁת־זוּ טָמָנוּ נִלְכְּדָה רַגְלָם׃

맛싸성경

8(히, 9:9) 그분은 의로움으로 세상을 판단하시며 공정함으로 백성을 재판하시도다. **9(10)** 여호와는 억눌린 자들에게 피난처가 되시며 고통의 때에 피난처이시로다. **10(11)** 주의 이름을 아는 자들은 주를 신뢰할 것이니 이는 여호와를 찾는 자들을 주께서 버리지 않으셨기 때문이라. **11(12)** 시온에 앉아 계신 여호와께 노래하며 나라들 중에서 그분의 행하심을 선포하여라. **12(13)** 이는 피를 찾으시는(갚으시는) 분이 그들을 기억하고 계시며 그분은 가난한 자들의 부르짖음을 잊어버리지 않으심이라. **13(14)** 여호와시여! 내게 은혜를 베푸시며 나를 미워하는 자로부터 내 고통을 보소서. 죽음의 문들에서부터 나를 올리소서. **14(15)** 그리하시면 내가 주의 모든 찬양들을 시온의 딸의 문들에서 선포할 것이며 내가 주의 구원을 기뻐할 것이니이다. **15(16)** 나라들이 자기들이 만든 웅덩이에 빠졌으며 그들이 감추어 놓은 그물에 자기들의 발이 사로잡혔도다.

NET

8(H 9:9) He judges the world fairly; he makes just legal decisions for the nations. **9(10)** Consequently the Lord provides safety for the oppressed; he provides safety in times of trouble. **10(11)** Your loyal followers trust in you, for you, Lord, do not abandon those who seek your help. **11(12)** Sing praises to the Lord, who rules in Zion. Tell the nations what he has done. **12(13)** For the one who takes revenge against murderers took notice of the oppressed; he did not overlook their cry for help **13(14)** when they prayed: "Have mercy on me, Lord! See how I am oppressed by those who hate me, O one who can snatch me away from the gates of death! **14(15)** Then I will tell about all your praiseworthy acts; in the gates of Daughter Zion I will rejoice because of your deliverance." **15(16)** The nations fell into the pit they had made; their feet were caught in the net they had hidden.

9 WLC

17 נוֹדַע ׀ יְהוָה מִשְׁפָּט עָשָׂה בְּפֹעַל כַּפָּיו נוֹקֵשׁ רָשָׁע הִגָּיוֹן סֶלָה׃

18 יָשׁוּבוּ רְשָׁעִים לִשְׁאוֹלָה כָּל־גּוֹיִם שְׁכֵחֵי אֱלֹהִים׃

19 כִּי לֹא לָנֶצַח יִשָּׁכַח אֶבְיוֹן תִּקְוַת [עֲנָוִים כ] (עֲנִיִּים ק) תֹּאבַד לָעַד׃

20 קוּמָה יְהוָה אַל־יָעֹז אֱנוֹשׁ יִשָּׁפְטוּ גוֹיִם עַל־פָּנֶיךָ׃

21 שִׁיתָה יְהוָה ׀ מוֹרָה לָהֶם יֵדְעוּ גוֹיִם אֱנוֹשׁ הֵמָּה סֶּלָה׃

맛싸성경

16(히, 9:17) 여호와는 행하시는 심판으로 알려지셨으며 사악한 자들은 그 손같이 덫에 걸렸도다. 힉가욘. 쎌라. **17(18)** 사악한 자들은 셰올로 돌아갔으며 하나님을 잊어버린 모든 나라들도 돌아갈 것이라. **18(19)** 이는 궁핍한 자가 영영히 잊혀지지 않으며 가난한 자들의 소망이 영원히 멸해지지 않기 때문이라. **19(20)** 여호와시여! 일어나셔서 인생이 이기지 못하게 하시며 민족들로 주 앞에서 심판을 받게 하소서. **20(21)** 여호와시여! 그들을 두려움에 두셔서 민족들로 그들이 인간임을 알게 하소서. 쎌라.

NET

16(H9:17) The Lord revealed himself; he accomplished justice. The wicked were ensnared by their own actions. (Higgaion. Selah) **17(18)** The wicked are turned back and sent to Sheol; this is the destiny of all the nations that ignore God, **18(19)** for the needy are not permanently ignored, the hopes of the oppressed are not forever dashed. **19(20)** Rise up, Lord! Don't let men be defiant. May the nations be judged in your presence. **20(21)** Terrify them, Lord. Let the nations know they are mere mortals. (Selah)

10 WLC

1 לָמָה יְהוָה תַּעֲמֹד בְּרָחוֹק תַּעְלִים לְעִתּוֹת בַּצָּרָה׃

2 בְּגַאֲוַת רָשָׁע יִדְלַק עָנִי יִתָּפְשׂוּ ׀ בִּמְזִמּוֹת זוּ חָשָׁבוּ׃

3 כִּֽי־הִלֵּל רָשָׁע עַל־תַּאֲוַת נַפְשׁוֹ וּבֹצֵעַ בֵּרֵךְ נִאֵץ ׀ יְהוָה׃

4 רָשָׁע כְּגֹבַהּ אַפּוֹ בַּל־יִדְרֹשׁ אֵין אֱלֹהִים כָּל־מְזִמּוֹתָיו׃

5 יָחִילוּ [דַרְכֹו כ] (דְרָכָיו ק) ׀ בְּכָל־עֵת מָרוֹם מִשְׁפָּטֶיךָ מִנֶּגְדּוֹ

כָּל־צוֹרְרָיו יָפִיחַ בָּהֶם׃

맛싸성경

1 여호와시여! 어찌하여 주께서 멀리 서서 계시며 고통의 시간들 중에 (눈을) 닫으시나이까? 2 사악한 자가 오만으로 가난한 자를 몹시 쫓으니 그들이 자기들이 생각한 악한 계획에 잡히게 하소서. 3 이는 사악한 자가 자기 영혼의 욕망을 자랑하고 여호와를 비방하는 욕심 있는 자를 축복하기 때문입니다. 4 사악한 자는 자기 얼굴의 교만함으로 인해 그는 (여호와를) 찾지 않으며 그의 모든 생각(들)에는 하나님이 없나이다. 5 그의 길들은 언제든지 잘되고 주의 심판은 그 옆에서부터 높이 있으며 그의 대적들에 대해서는 그는 비웃나이다.

NET

1 Why, Lord, do you stand far off? Why do you pay no attention during times of trouble? 2 The wicked arrogantly chase the oppressed; the oppressed are trapped by the schemes the wicked have dreamed up. 3 Yes, the wicked man boasts because he gets what he wants; the one who robs others curses and rejects the Lord. 4 The wicked man is so arrogant he always thinks, "God won't hold me accountable; he doesn't care." 5 He is secure at all times. He has no regard for your commands; he disdains all his enemies.

10 WLC

6 אָמַר בְּלִבּוֹ בַּל־אֶמּוֹט לְדֹר וָדֹר אֲשֶׁר לֹא־בְרָע׃

7 אָלָה פִּיהוּ מָלֵא וּמִרְמוֹת וָתֹךְ תַּחַת לְשׁוֹנוֹ עָמָל וָאָוֶן׃

8 יֵשֵׁב ׀ בְּמַאְרַב חֲצֵרִים בַּמִּסְתָּרִים יַהֲרֹג נָקִי עֵינָיו לְחֵלְכָה יִצְפֹּנוּ׃

9 יֶאֱרֹב בַּמִּסְתָּר ׀ כְּאַרְיֵה בְסֻכֹּה יֶאֱרֹב לַחֲטוֹף עָנִי יַחְטֹף עָנִי
בְּמָשְׁכוֹ בְרִשְׁתּוֹ׃

맛싸성경

6 그의 마음에서 그가 말하나이다. "나는 흔들리지 않으며 영원한 세대에서 어려움이 없을 것이다." 7 그의 입은 저주로 가득 차 있고 거짓과 압제로 가득하며 그의 혀 아래에는 고통과 사악이 있나이다. 8 그는 마을들에 엎드려 앉아서 은밀한 곳에서 죄 없는 자를 죽이며 그의 눈들은 가여운 자를 (찾으려) 숨어 기다리나이다. 9 그는 굴에서 사자같이 은밀한 곳에서 매복하고 그는 가난한 자를 잡으려고 매복하나이다. 그는 가난한 자를 그의 그물 안으로 끌어당겨 그를 잡나이다.

NET

6 He says to himself, "I will never be shaken, because I experience no calamity." 7 His mouth is full of curses and deceptive, harmful words; his tongue injures and destroys. 8 He waits in ambush near the villages; in hidden places he kills the innocent. His eyes look for some unfortunate victim. 9 He lies in ambush in a hidden place, like a lion in a thicket. He lies in ambush, waiting to catch the oppressed; he catches the oppressed by pulling in his net.

10 WLC

10 [וְדָכָה כ] (יִדְכֶּה ק) יָשֹׁחַ וְנָפַל בַּעֲצוּמָיו חֵלְכָּאִים:

11 אָמַר בְּלִבּוֹ שָׁכַח אֵל הִסְתִּיר פָּנָיו בַּל־רָאָה לָנֶצַח:

12 קוּמָה יְהוָה אֵל נְשָׂא יָדֶךָ אַל־תִּשְׁכַּח [עֲנִיִּים כ] (עֲנָוִים ק):

13 עַל־מֶה | נִאֵץ רָשָׁע | אֱלֹהִים אָמַר בְּלִבּוֹ לֹא תִדְרֹשׁ:

14 רָאִתָה כִּי־אַתָּה | עָמָל וָכַעַס | תַּבִּיט לָתֵת בְּיָדֶךָ עָלֶיךָ יַעֲזֹב חֵלֶכָה
יָתוֹם אַתָּה | הָיִיתָ עוֹזֵר:

맛싸성경

10 그는 짓밟고 쓰러뜨리니 가여운 자들은 그의 힘에 의해서 엎드러지나이다. 11 그가 그의 마음에서 말하나이다. "하나님이 잊어버리셨다. 그는 그의 얼굴을 감추셨으니 그는 영원히 보지 않을 것이다." 12 여호와시여! 일어나소서. 하나님이시여! 당신의 손을 드소서. 겸손한 자들을 잊어버리지 마옵소서. 13 무엇 때문에 사악한 자는 하나님을 경멸하고 그의 마음으로 " 주는 찾지(문책하지) 않을 것이다."라고 말하나이까? 14 그러나 주께서는 보시나니 이는 주께서는 고통과 걱정 (속에) 주의 손으로 (도와) 주시려고 보고 계시나니 가여운 자가 (자기의 몸을) 당신에게로 맡기나이다. 당신은 고아(들)를 돕는 자이시나이다.

NET

10 His victims are crushed and beaten down; they are trapped in his sturdy nets. 11 He says to himself, "God overlooks it; he does not pay attention; he never notices." 12 Rise up, Lord! O God, strike him down. Do not forget the oppressed. 13 Why does the wicked man reject God? He says to himself, "You will not hold me accountable." 14 You have taken notice, for you always see one who inflicts pain and suffering. The unfortunate victim entrusts his cause to you; you deliver the fatherless.

15 שְׁבֹר זְרוֹעַ רָשָׁע וָרָע תִּדְרוֹשׁ־רִשְׁעוֹ בַל־תִּמְצָא׃

16 יְהוָה מֶלֶךְ עוֹלָם וָעֶד אָבְדוּ גוֹיִם מֵאַרְצוֹ׃

17 תַּאֲוַת עֲנָוִים שָׁמַעְתָּ יְהוָה תָּכִין לִבָּם תַּקְשִׁיב אָזְנֶךָ׃

18 לִשְׁפֹּט יָתוֹם וָדָךְ בַּל־יוֹסִיף עוֹד לַעֲרֹץ אֱנוֹשׁ מִן־הָאָרֶץ׃

맛싸성경

15 사악한 자와 악인의 팔을 꺾으소서. 그의 악한 일이 발견되지 않을 때(까지) 구하소서. **16** 여호와는 영원무궁한 왕이시니 (이방) 나라들은 그의 땅으로부터 망하나이다. **17** 여호와시여! 주께서는 겸손한 자들의 소원을 들어주소서. 그들의 마음을 (힘 있게) 세워 주시고 주의 귀를 기울여 주셔서 **18** 고아와 억눌린 자에게 공의가 있도록 해주시고 땅에서부터 (온) 인간을 겁주는 것이 더 이상 지속되지 않게 해주소서.

NET

15 Break the arm of the wicked and evil man. Hold him accountable for his wicked deeds, which he thought you would not discover. **16** The Lord rules forever! The nations are driven out of his land. **17** Lord, you have heard the request of the oppressed; you make them feel secure because you listen to their prayer. **18** You defend the fatherless and oppressed, so that mere mortals may no longer terrorize them.

11 WLC

1 לַמְנַצֵּחַ לְדָוִד בַּיהוָה ׀ חָסִיתִי אֵיךְ תֹּאמְרוּ לְנַפְשִׁי
[נודו כ] (נוּדִי ק) הַרְכֶם צִפּוֹר׃
2 כִּי הִנֵּה הָרְשָׁעִים יִדְרְכוּן קֶשֶׁת כּוֹנְנוּ חִצָּם עַל־יֶתֶר לִירוֹת
בְּמוֹ־אֹפֶל לְיִשְׁרֵי־לֵב׃
3 כִּי הַשָּׁתוֹת יֵהָרֵסוּן צַדִּיק מַה־פָּעָל׃
4 יְהוָה ׀ בְּהֵיכַל קָדְשׁוֹ יְהוָה בַּשָּׁמַיִם כִּסְאוֹ עֵינָיו יֶחֱזוּ עַפְעַפָּיו
יִבְחֲנוּ בְּנֵי אָדָם׃
5 יְהוָה צַדִּיק יִבְחָן וְרָשָׁע וְאֹהֵב חָמָס שָׂנְאָה נַפְשׁוֹ׃
6 יַמְטֵר עַל־רְשָׁעִים פַּחִים אֵשׁ וְגָפְרִית וְרוּחַ זִלְעָפוֹת מְנָת כּוֹסָם׃
7 כִּי־צַדִּיק יְהוָה צְדָקוֹת אָהֵב יָשָׁר יֶחֱזוּ פָנֵימוֹ׃

맛싸성경

1 [지휘자를 위한 다윗(의 시)] 여호와 안에 내가 피하나이다. 어찌하여 너희가 내 영혼에게 "새같이 너희 산으로 정처 없이 가라."고 말하느냐? 2 이는 보아라, 사악한 자들이 활을 당기고 그들이 그들의 화살들을 화살 줄에 조준하여 마음이 올바른 자들을 어두운 곳에서 쏘려 하는구나. 3 만일 기초들이 파괴되면 의인은 무엇을 행할 수 있을 것인가? 4 여호와는 자기의 거룩한 성전에 계시고 여호와의 보좌는 하늘에 있으니 그분의 눈(들)은 보시도다. 그분의 눈꺼풀은 사람의 아들들을 시험하시도다. 5 여호와는 의로운 자를 시험하시나 사악한 자와 폭력을 사랑하는 자의 영혼은 미워하시도다. 6 그분께서 사악한 자들 위에 숯과 불과 유황의 비를 내리실 것이니 또 뜨거운바람이 그들의 잔의 몫이 될 것이라. 7 이는 여호와는 의로우시니 (그분은) 의로운 일을 사랑하시기 때문이라. 올바른 자는 그분의 얼굴을 볼 것이로다.

NET

1 For the music director, by David. In the Lord I have taken shelter. How can you say to me, "Flee to a mountain like a bird. 2 For look, the wicked prepare their bows, they put their arrows on the strings, to shoot in the darkness at the morally upright. 3 When the foundations are destroyed, what can the godly accomplish?" 4 The Lord is in his holy temple; the Lord's throne is in heaven. His eyes watch; his eyes examine all people. 5 The Lord approves of the godly, but he hates the wicked and those who love to do violence. 6 May he rain down burning coals and brimstone on the wicked! A whirlwind is what they deserve. 7 Certainly the Lord is just; he rewards godly deeds. The upright will experience his favor.

12 WLC

1 לַמְנַצֵּחַ עַל־הַשְּׁמִינִית מִזְמוֹר לְדָוִד׃

2 הוֹשִׁיעָה יְהוָה כִּי־גָמַר חָסִיד כִּי־פַסּוּ אֱמוּנִים מִבְּנֵי אָדָם׃

3 שָׁוְא ׀ יְדַבְּרוּ אִישׁ אֶת־רֵעֵהוּ שְׂפַת חֲלָקוֹת בְּלֵב וָלֵב יְדַבֵּרוּ׃

4 יַכְרֵת יְהוָה כָּל־שִׂפְתֵי חֲלָקוֹת לָשׁוֹן מְדַבֶּרֶת גְּדֹלוֹת׃

5 אֲשֶׁר אָמְרוּ ׀ לִלְשֹׁנֵנוּ נַגְבִּיר שְׂפָתֵינוּ אִתָּנוּ מִי אָדוֹן לָנוּ׃

6 מִשֹּׁד עֲנִיִּים מֵאַנְקַת אֶבְיוֹנִים עַתָּה אָקוּם יֹאמַר יְהוָה אָשִׁית בְּיֵשַׁע
יָפִיחַ לוֹ׃

7 אִמֲרוֹת יְהוָה אֲמָרוֹת טְהֹרוֹת כֶּסֶף צָרוּף בַּעֲלִיל לָאָרֶץ מְזֻקָּק שִׁבְעָתָיִם׃

8 אַתָּה־יְהוָה תִּשְׁמְרֵם תִּצְּרֶנּוּ ׀ מִן־הַדּוֹר זוּ לְעוֹלָם׃

9 סָבִיב רְשָׁעִים יִתְהַלָּכוּן כְּרֻם זֻלּוּת לִבְנֵי אָדָם׃

맛싸성경

(히, 12:1) [지휘자를 따라 여덟째 줄에 맞춘 다윗의 시] **1(2)** 구원하소서. 여호와시여! 이는 경건한 자(신실한 자, 성도)가 끊어졌고 사람의 아들들 중에서 신실한 자들이 사라졌기 때문입니다. **2(3)** 각 사람은 자기 이웃에게 함부로 말하며 아첨하는 입술과 두 마음으로 그들은 말합니다. **3(4)** 여호와께서 아첨하는 모든 입술들을 잘라내실 것이라. 자랑하는 것들을 말하는 혀도 그리하실 것이니 **4(5)** 그들은 말하기를 "우리들의 혀로 우리는 막강하고 우리들의 입술은 우리들과 함께 있으니 누가 우리들의 통치자인가?" (하도다). **5(6)** 여호와께서 말씀하신다. "가난한 자들의 압제와 궁핍한 자들의 신음소리로 인하여 이제 내가 일어나겠다. 내가 그를 구원(하여) 둘 것이니 그가 원하던 것이라." **6(7)** 여호와의 말씀들은 순결한 말씀들로 흙 도가니에서 정화되어 7 번 걸러진 은과 같도다. **7(8)** 주 여호와시여! 주께서 그들은(우리들을) 지키시며 이런 세대에서부터 영원히 그들을(우리들을) 보호해 주소서. **8(9)** 무가치함(비열함)이 사람의 아들들 중에서 높아질 때 사악한 자들은 주위를 돌아다닐 것이라.

NET

1(H 12:1) For the music director, according to the sheminith style; a psalm of David. **(2)**Deliver, Lord! For the godly have disappeared; people of integrity have vanished. **2(3)** People lie to one another; they flatter and deceive. **3(4)** May the Lord cut off all flattering lips, and the tongue that boasts! **4(5)** They say, "We speak persuasively; we know how to flatter and boast. Who is our master?" **5(6)** "Because of the violence done to the oppressed, because of the painful cries of the needy, I will spring into action," says the Lord. "I will provide the safety they so desperately desire." **6(7)** The Lord's words are absolutely reliable. They are as untainted as silver purified in a furnace on the ground, where it is thoroughly refined. **7(8)** You, Lord, will protect the oppressed; you will continually shelter each one from these evil people, **8(9)** for the wicked seem to be everywhere, when people promote evil.

13 WLC

1 לַמְנַצֵּחַ מִזְמוֹר לְדָוִד׃

2 עַד־אָנָה יְהוָה תִּשְׁכָּחֵנִי נֶצַח עַד־אָנָה ׀ תַּסְתִּיר אֶת־פָּנֶיךָ מִמֶּנִּי׃

3 עַד־אָנָה אָשִׁית עֵצוֹת בְּנַפְשִׁי יָגוֹן בִּלְבָבִי יוֹמָם עַד־אָנָה
׀ יָרוּם אֹיְבִי עָלָי׃

4 הַבִּיטָה עֲנֵנִי יְהוָה אֱלֹהָי הָאִירָה עֵינַי פֶּן־אִישַׁן הַמָּוֶת׃

5 פֶּן־יֹאמַר אֹיְבִי יְכָלְתִּיו צָרַי יָגִילוּ כִּי אֶמּוֹט׃

6 וַאֲנִי ׀ בְּחַסְדְּךָ בָטַחְתִּי יָגֵל לִבִּי בִּישׁוּעָתֶךָ אָשִׁירָה לַיהוָה
כִּי גָמַל עָלָי׃

맛싸성경

(히, 13:1) [지휘자를 위한 다윗의 시] **1(2)** 여호와시여! 언제까지 나를 영영히 잊으시겠습니까? 언제까지 주의 얼굴을 내게서부터 숨기시겠습니까? **2(3)** 언제까지 내가 내 영혼으로 저항하며 슬픔이 내 마음에 날마다 있겠나이까? 언제까지 내 원수가 내 위로 높아지나이까? **3(4)** 잘 보아주시고 (나에게) 응답하소서. 나의 하나님 여호와시여! 내 눈을 밝혀주셔서 나로 죽음의 잠을 (자지 않게) 하소서. **4(5)** 내 원수로 "내가 그를 이겼다." 말하지 않게 하시며 내가 비틀거릴 때 내 대적으로 기뻐 소리치지 않게 하소서. **5(6)** 그러나 나는 주의 인애를 신뢰하나이다. 내 마음이 주의 구원을 기뻐 소리치나이다. **6(6)** 내가 여호와께 노래하리니 이는 주께서 나를 잘 대해주셨기 때문이니이다.

NET

1(H 13:1) For the music director, a psalm of David. **(2)** How long, Lord, will you continue to ignore me? How long will you pay no attention to me? **2(3)** How long must I worry, and suffer in broad daylight? How long will my enemy gloat over me? **3(4)** Look at me! Answer me, O Lord my God! Revive me, or else I will die. **4(5)** Then my enemy will say, "I have defeated him." Then my foes will rejoice because I am shaken. **5(6)** But I trust in your faithfulness. May I rejoice because of your deliverance. **6(6)** I will sing praises to the Lord when he vindicates me.

14 WLC

1 לַמְנַצֵּחַ לְדָוִד אָמַר נָבָל בְּלִבּוֹ אֵין אֱלֹהִים הִשְׁחִיתוּ הִתְעִיבוּ
עֲלִילָה אֵין עֹשֵׂה־טוֹב׃
2 יְהוָה מִשָּׁמַיִם הִשְׁקִיף עַל־בְּנֵי־אָדָם לִרְאוֹת הֲיֵשׁ מַשְׂכִּיל דֹּרֵשׁ
אֶת־אֱלֹהִים׃
3 הַכֹּל סָר יַחְדָּו נֶאֱלָחוּ אֵין עֹשֵׂה־טוֹב אֵין גַּם־אֶחָד׃
4 הֲלֹא יָדְעוּ כָּל־פֹּעֲלֵי אָוֶן אֹכְלֵי עַמִּי אָכְלוּ לֶחֶם יְהוָה לֹא קָרָאוּ׃
5 שָׁם ׀ פָּחֲדוּ פָחַד כִּי־אֱלֹהִים בְּדוֹר צַדִּיק׃
6 עֲצַת־עָנִי תָבִישׁוּ כִּי יְהוָה מַחְסֵהוּ׃
7 מִי יִתֵּן מִצִּיּוֹן יְשׁוּעַת יִשְׂרָאֵל בְּשׁוּב יְהוָה שְׁבוּת עַמּוֹ יָגֵל יַעֲקֹב
יִשְׂמַח יִשְׂרָאֵל׃

맛싸성경

1 [지휘자를 위한 다윗(의 시)] 미련한 자는 그 마음으로 "하나님은 없다."고 말하도다. 그들은 타락하여 행동을 역겹게 행하니 선을 행하는 자가 없도다. **2** 여호와께서는 사람의 아들들에게 (곧) 하늘에서부터 내려다보셔서 통찰력이 있어 하나님을 구하는 자가 있는지 보시도다. **3** (그러나) 모든 자들이 다 함께 떠나갔으며 (그들은) 부패하여 선을 행하는 자가 없으니 또한 한 사람도 없도다. **4** 사악을 행하는 모든 자들은 알지 못하는가? 내 백성을 삼키는 자들은 빵을 (먹듯이) 먹으며 여호와를 부르지 않는다. **5** 거기서 그들은 두려움으로 두려워할 것이니 이는 하나님께서는 의인의 세대에 계심이라. **6** 너희들은 가난한 자의 계획에 창피를 주지만 여호와는 그의 피난처가 되시도다. **7** 이스라엘의 구원을 시온에서 누가 주시겠는가? 여호와께서 포로 된 그(의) 백성을 돌아오게 하실 때 야곱이 기뻐할 것이며 이스라엘은 즐거워할 것이라.

NET

1 For the music director, by David. Fools say to themselves, "There is no God." They sin and commit evil deeds; none of them does what is right. **2** The Lord looks down from heaven at the human race, to see if there is anyone who is wise and seeks God. **3** Everyone rejects God; they are all morally corrupt. None of them does what is right, not even one. **4** All those who behave wickedly do not understand—those who devour my people as if they were eating bread and do not call out to the Lord. **5** They are absolutely terrified, for God defends the godly. **6** You want to humiliate the oppressed, even though the Lord is their shelter. **7** I wish the deliverance of Israel would come from Zion! When the Lord restores the well-being of his people, may Jacob rejoice, may Israel be happy!

15 WLC

1 מִזְמוֹר לְדָוִד יְהוָה מִי־יָגוּר בְּאָהֳלֶךָ מִי־יִשְׁכֹּן בְּהַר קָדְשֶׁךָ׃

2 הוֹלֵךְ תָּמִים וּפֹעֵל צֶדֶק וְדֹבֵר אֱמֶת בִּלְבָבוֹ׃

3 לֹא־רָגַל ׀ עַל־לְשֹׁנוֹ לֹא־עָשָׂה לְרֵעֵהוּ רָעָה וְחֶרְפָּה לֹא־נָשָׂא עַל־קְרֹבוֹ׃

4 נִבְזֶה ׀ בְּעֵינָיו נִמְאָס וְאֶת־יִרְאֵי יְהוָה יְכַבֵּד נִשְׁבַּע לְהָרַע וְלֹא יָמִר׃

5 כַּסְפּוֹ ׀ לֹא־נָתַן בְּנֶשֶׁךְ וְשֹׁחַד עַל־נָקִי לֹא לָקָח עֹשֵׂה־אֵלֶּה

לֹא יִמּוֹט לְעוֹלָם׃

맛싸성경

1 [다윗의 시] 여호와시여! 누가 주의 천막(장막)에 거하며 누가 주의 거룩한 산에 살겠나이까? 2 완전하게 걷는 자이고 의를 실행하는 자이며 그 마음에 진리를 말하는 자이나이다. 3 그는 그 혀로 중상하지 않고 그의 친구에게 악을 행하지 않으며 그와 가까이 있는 자에게 비방 거리를 말하지 않으며 4 그의 눈은 비열한 자를 경멸하고 여호와를 경외하는 자를 존경하며 서원한 것은 해로워도 (그는) 바꾸지 않으며 5 그의 돈을 이자로 빌려주지 않고 결백한 자에게 뇌물을 취하지 않으니 이런 일을 행하는 자는 영원히 흔들리지 않을 것이니이다.

NET

1 A psalm of David. Lord, who may be a guest in your home? Who may live on your holy hill? 2 Whoever lives a blameless life, does what is right, and speaks honestly. 3 He does not slander, or do harm to others, or insult his neighbor. 4 He despises a reprobate, but honors the Lord's loyal followers. He makes firm commitments and does not renege on his promise. 5 He does not charge interest when he lends his money. He does not take bribes to testify against the innocent. The one who lives like this will never be shaken.

16 WLC

1 מִכְתָּם לְדָוִד שָׁמְרֵנִי אֵל כִּי־חָסִיתִי בָךְ׃

2 אָמַרְתְּ לַיהוָה אֲדֹנָי אָתָּה טוֹבָתִי בַּל־עָלֶיךָ׃

3 לִקְדוֹשִׁים אֲשֶׁר־בָּאָרֶץ הֵמָּה וְאַדִּירֵי כָּל־חֶפְצִי־בָם׃

4 יִרְבּוּ עַצְּבוֹתָם אַחֵר מָהָרוּ בַּל־אַסִּיךְ נִסְכֵּיהֶם מִדָּם וּבַל־אֶשָּׂא

אֶת־שְׁמוֹתָם עַל־שְׂפָתָי׃

5 יְהוָה מְנָת־חֶלְקִי וְכוֹסִי אַתָּה תּוֹמִיךְ גּוֹרָלִי׃

6 חֲבָלִים נָפְלוּ־לִי בַּנְּעִמִים אַף־נַחֲלָת שָׁפְרָה עָלָי׃

맛싸성경

1 [다윗의 믹담] 나를 지켜주옵소서. 하나님이시여! 이는 내가 주 안에 피(난)하였음이라. 2 내가 여호와께 말하였나이다. "주는 나의 주이십니다. 주 없이는 나의 행복이 없나이다." 3 땅에 있는 거룩한 자(성도)들은 뛰어난(존귀한) 자들이며 그들 가운데 내 모든 기쁨이 있나이다. 4 다른 신들에게 급히 달려가는 자들의 고통은 많아질 것이니 그들의 피로 붓는 제물을 나는 붓지 않을 것이라. 그들의 이름들을 내 입술에 올리지 않을 것이라. 5 여호와시여! 주께서는 내 유업과 내 잔의 몫이십니다. 주께서 내 할당지(제비뽑은 땅, 분깃)를 붙드셨나이다(지키시나이다). 6 내게 주어진 경계는 즐거운 곳에 있으며 참으로 내게는 기쁘게 하는 유산이 있나이다.

NET

1 A prayer of David. Protect me, O God, for I have taken shelter in you. 2 I say to the Lord, "You are the Lord, my only source of well-being." 3 As for God's chosen people who are in the land, and the leading officials I admired so much—4 their troubles multiply; they desire other gods. I will not pour out drink offerings of blood to their gods, nor will I make vows in the name of their gods. 5 Lord, you give me stability and prosperity; you make my future secure. 6 It is as if I have been given fertile fields or received a beautiful tract of land.

16 WLC

7 אֲבָרֵךְ אֶת־יְהוָה אֲשֶׁר יְעָצָנִי אַף־לֵילוֹת יִסְּרוּנִי כִלְיוֹתָי׃

8 שִׁוִּיתִי יְהוָה לְנֶגְדִּי תָמִיד כִּי מִימִינִי בַּל־אֶמּוֹט׃

9 לָכֵן ׀ שָׂמַח לִבִּי וַיָּגֶל כְּבוֹדִי אַף־בְּשָׂרִי יִשְׁכֹּן לָבֶטַח׃

10 כִּי ׀ לֹא־תַעֲזֹב נַפְשִׁי לִשְׁאוֹל לֹא־תִתֵּן חֲסִידְךָ לִרְאוֹת שָׁחַת׃

11 תּוֹדִיעֵנִי אֹרַח חַיִּים שֹׂבַע שְׂמָחוֹת אֶת־פָּנֶיךָ נְעִמוֹת בִּימִינְךָ נֶצַח׃

맛싸성경

7 내가 나를 상담(조언)하신 여호와를 송축하오니 참으로 밤에도 내 중심이 나를 교훈함이라. 8 내가 항상 내 앞에 여호와를 모셔두니 그분이 내 오른 편에 계시므로 나는 흔들리지 않을 것이라. 9 그러므로 내 마음이 즐겁고 내 영광도 기뻐하니 참으로 내 육체도 안전하게 거할 것이라. 10 이는 주께서 내 영혼을 셰올로 버리시지 않으실 것이며 주께서 주의 신실한 자로 무덤을 보지 않게 하심이라. 11 주께서 내게 생명의 길을 알게 하시니 주의 앞에는 즐거움이 충만하고 주의 오른 편에는 기쁨이 영원히 있나이다.

NET

7 I will praise the Lord who guides me; yes, during the night I reflect and learn. 8 I constantly trust in the Lord; because he is at my right hand, I will not be shaken. 9 So my heart rejoices and I am happy; my life is safe. 10 You will not abandon me to Sheol; you will not allow your faithful follower to see the Pit. 11 You lead me in the path of life. I experience absolute joy in your presence; you always give me sheer delight.

17 WLC

1 תְּפִלָּה לְדָוִד שִׁמְעָה יְהוָה ׀ צֶדֶק הַקְשִׁיבָה רִנָּתִי הַאֲזִינָה תְפִלָּתִי בְּלֹא שִׂפְתֵי מִרְמָה׃

2 מִלְּפָנֶיךָ מִשְׁפָּטִי יֵצֵא עֵינֶיךָ תֶּחֱזֶינָה מֵישָׁרִים׃

3 בָּחַנְתָּ לִבִּי ׀ פָּקַדְתָּ לַּיְלָה צְרַפְתַּנִי בַל־תִּמְצָא זַמֹּתִי בַּל־יַעֲבָר־פִּי׃

4 לִפְעֻלּוֹת אָדָם בִּדְבַר שְׂפָתֶיךָ אֲנִי שָׁמַרְתִּי אָרְחוֹת פָּרִיץ׃

5 תָּמֹךְ אֲשֻׁרַי בְּמַעְגְּלוֹתֶיךָ בַּל־נָמוֹטּוּ פְעָמָי׃

6 אֲנִי־קְרָאתִיךָ כִי־תַעֲנֵנִי אֵל הַט־אָזְנְךָ לִי שְׁמַע אִמְרָתִי׃

7 הַפְלֵה חֲסָדֶיךָ מוֹשִׁיעַ חוֹסִים מִמִּתְקוֹמְמִים בִּימִינֶךָ׃

맛싸성경

1 [다윗의 기도] 여호와시여! 의로운 판결로 들어주소서. 내 부르짖음에 경청해 주시며 속이는 입술이 아닌 내 기도에 귀 기울이소서. 2 나의 판결이 주 앞에서부터 나오게 하시며 주의 눈으로 공정하게 보아주소서. 3 주께서 내 마음을 시험하시고 밤에도 방문하셔서 나를 정련하시나 찾지 못하실 것이니 내 입이 (죄를) 범하지 않도록 결심하였나이다. 4 사람의 행위에 있어서 주의 입술의 말씀을 따라서 나는 강탈자의 길들에서 (나를) 지켰나이다. 5 내 걸음들이 주의 길(들)을 붙잡아 내 발걸음은 흔들리지 않았나이다. 6 내가 주를 부르니 이는 주께서 내게 응답을 하실 것임이라. 하나님이시여! 주의 귀를 내게 기울여 주시며 내 말을 들어주소서. 7 주의 인애로 놀랍게 대하셔서 대항하는 자들로부터 피하려 오는 자들을 주의 오른손으로 구원하소서.

NET

1 A prayer of David. Lord, consider my just cause. Pay attention to my cry for help. Listen to the prayer I sincerely offer. 2 Make a just decision on my behalf. Decide what is right. 3 You have scrutinized my inner motives; you have examined me during the night. You have carefully evaluated me, but you find no sin. I am determined I will say nothing sinful. 4 As for the actions of people—just as you have commanded, I have not followed in the footsteps of violent men. 5 I carefully obey your commands; I do not deviate from them. 6 I call to you because you will answer me, O God. Listen to me! Hear what I say! 7 Accomplish awesome, faithful deeds, you who powerfully deliver those who look to you for protection from their enemies.

17 WLC

8 שָׁמְרֵנִי כְּאִישׁוֹן בַּת־עָיִן בְּצֵל כְּנָפֶיךָ תַּסְתִּירֵנִי׃

9 מִפְּנֵי רְשָׁעִים זוּ שַׁדּוּנִי אֹיְבַי בְּנֶפֶשׁ יַקִּיפוּ עָלָי׃

10 חֶלְבָּמוֹ סָּגְרוּ פִּימוֹ דִּבְּרוּ בְגֵאוּת׃

11 אַשֻּׁרֵינוּ עַתָּה [סְבָבוּנִי כ] (סְבָבוּנוּ ק) עֵינֵיהֶם יָשִׁיתוּ לִנְטוֹת בָּאָרֶץ׃

12 דִּמְיֹנוֹ כְּאַרְיֵה יִכְסוֹף לִטְרוֹף וְכִכְפִיר יֹשֵׁב בְּמִסְתָּרִים׃

13 קוּמָה יְהוָה קַדְּמָה פָנָיו הַכְרִיעֵהוּ פַּלְּטָה נַפְשִׁי מֵרָשָׁע חַרְבֶּךָ׃

14 מִמְתִים יָדְךָ ׀ יְהוָה מִמְתִים מֵחֶלֶד חֶלְקָם בַּחַיִּים וּצְפִינְךָ תְּמַלֵּא
בִטְנָם יִשְׂבְּעוּ בָנִים וְהִנִּיחוּ יִתְרָם לְעוֹלְלֵיהֶם׃

15 אֲנִי בְּצֶדֶק אֶחֱזֶה פָנֶיךָ אֶשְׂבְּעָה בְהָקִיץ תְּמוּנָתֶךָ׃

맛싸성경

8 나를 눈동자같이 지키시며 주의 날개 그늘로 나를
숨겨주시리니 9 나를 약탈하는 사악한 자들(로부터)
이며 나를 포위한 내 생명의 원수들로부터 이나이다.
10 그들은 자기 기름으로 닫혔고(갇혔고) 그 입은 주
제넘음으로 말하나이다. 11 이제 그들은 우리 걸음을
둘러쌌으며 그들의 눈들을 두어 (우리를) 땅으로 던지
려 하나이다. 12 그들은 먹이를 갈급하는 사자 같으
며 은밀한 곳에 숨어있는 젊은 사자 같으니이다. 13
일어나소서. 여호와시여! 그들 앞에 맞서 주셔서 그들
을 꿇게 하시고 내 영혼을 사악한 자로부터 주의 칼로
구해주소서. 14 여호와시여! 사람들에게서 주의 손으
로 그들의 몫은 세상사람들로부터 생명이 있습니다.
보화로 주께서 그들의 배를 채우시니 (그들의) 아들들
은 만족합니다. 그리고 그들의 자녀들에게 그들의 남
은 것들을 남겨주나이다. 15 나는 의로움으로 주의 얼
굴을 내가 볼 것이며 내가 깰 때 주의 형상으로 내가
만족할 것이니이다.

NET

8 Protect me as you would protect the pupil of your eye. Hide me in the shadow of your wings. 9 Protect me from the wicked men who attack me, my enemies who crowd around me for the kill. 10 They are calloused; they speak arrogantly. 11 They attack me, now they surround me; they intend to throw me to the ground. 12 He is like a lion that wants to tear its prey to bits, like a young lion crouching in hidden places. 13 Rise up, Lord! Confront him. Knock him down. Use your sword to rescue me from the wicked man. 14 Lord, use your power to deliver me from these murderers, from the murderers of this world. They enjoy prosperity; you overwhelm them with the riches they desire. They have many children, and leave their wealth to their offspring. 15 As for me, because I am innocent I will see your face; when I awake you will reveal yourself to me.

18 WLC

1 לַמְנַצֵּחַ ׀ לְעֶבֶד יְהוָה לְדָוִד אֲשֶׁר דִּבֶּר ׀ לַיהוָה אֶת־דִּבְרֵי הַשִּׁירָה
הַזֹּאת בְּיוֹם הִצִּיל־יְהוָה אוֹתוֹ מִכַּף כָּל־אֹיְבָיו וּמִיַּד שָׁאוּל׃
2 וַיֹּאמַר אֶרְחָמְךָ יְהוָה חִזְקִי׃
3 יְהוָה ׀ סַלְעִי וּמְצוּדָתִי וּמְפַלְטִי אֵלִי צוּרִי אֶחֱסֶה־בּוֹ מָגִנִּי
וְקֶרֶן־יִשְׁעִי מִשְׂגַּבִּי׃
4 מְהֻלָּל אֶקְרָא יְהוָה וּמִן־אֹיְבַי אִוָּשֵׁעַ׃
5 אֲפָפוּנִי חֶבְלֵי־מָוֶת וְנַחֲלֵי בְלִיַּעַל יְבַעֲתוּנִי׃
6 חֶבְלֵי שְׁאוֹל סְבָבוּנִי קִדְּמוּנִי מוֹקְשֵׁי מָוֶת׃
7 בַּצַּר־לִי ׀ אֶקְרָא יְהוָה וְאֶל־אֱלֹהַי אֲשַׁוֵּעַ יִשְׁמַע מֵהֵיכָלוֹ קוֹלִי
וְשַׁוְעָתִי לְפָנָיו ׀ תָּבוֹא בְאָזְנָיו׃

맛싸성경

(히, 18:1) [지휘자를 위한 여호와의 종 다윗의 시] 여호와께서 그를 그의 모든 원수와 사울의 손으로부터 구출하셨던 날에 다윗이 이 노래의 말들을 여호와께 말하였다. **1(2)** 내가 주를 사랑하나이다. 나의 힘이신 여호와시여! **2(3)** 여호와는 나의 반석이시고 나의 요새이시며 나의 구원자이시고 나의 하나님이시며 나의 바위이시니 내가 그분 안에 피할 것이라. 나의 방패이시고 나의 구원의 뿔이시며 나의 피난처이시나이다. **3(4)** 내가 찬양을 받으실 여호와께 부르짖으리니 나는 나의 원수들로부터 구원받을 것이라. **4(5)** 죽음의 줄들이 나를 둘러싸고 사악한 물(들)이 나를 두렵게 하였으며 **5(6)** 세올의 줄들이 나를 에워싸고 죽음의 올무들이 내게 이르나이다. **6(7)** 고통 중에서 내가 여호와를 부르짖고 내 하나님께 도움을 요청하였더니 그분의 성전에서부터 내 음성을 들으셨으며 내 부르짖음이 그분 앞 그분의 귀에 이르렀나이다.

NET

1(H 18:1) For the music director, by the Lord's servant David, who sang to the Lord the words of this song when the Lord rescued him from the power of all his enemies, including Saul. He said: **(2)** "I love you, Lord, my source of strength! **2(3)** The Lord is my high ridge, my stronghold, my deliverer. My God is my rocky summit where I take shelter, my shield, the horn that saves me, and my refuge. **3(4)** I called to the Lord, who is worthy of praise, and I was delivered from my enemies. **4(5)** The waves of death engulfed me, the currents of chaos overwhelmed me. **5(6)** The ropes of Sheol tightened around me, the snares of death trapped me. **6(7)** In my distress I called to the Lord; I cried out to my God. From his heavenly temple he heard my voice; he listened to my cry for help.

18 WLC

8 וַתִּגְעַשׁ וַתִּרְעַשׁ ׀ הָאָרֶץ וּמוֹסְדֵי הָרִים יִרְגָּזוּ וַיִּתְגָּעֲשׁוּ כִּי־חָרָה לוֹ׃

9 עָלָה עָשָׁן ׀ בְּאַפּוֹ וְאֵשׁ־מִפִּיו תֹּאכֵל גֶּחָלִים בָּעֲרוּ מִמֶּנּוּ׃

10 וַיֵּט שָׁמַיִם וַיֵּרַד וַעֲרָפֶל תַּחַת רַגְלָיו׃

11 וַיִּרְכַּב עַל־כְּרוּב וַיָּעֹף וַיֵּדֶא עַל־כַּנְפֵי־רוּחַ׃

12 יָשֶׁת חֹשֶׁךְ ׀ סִתְרוֹ סְבִיבוֹתָיו סֻכָּתוֹ חֶשְׁכַת־מַיִם עָבֵי שְׁחָקִים׃

13 מִנֹּגַהּ נֶגְדּוֹ עָבָיו עָבְרוּ בָּרָד וְגַחֲלֵי־אֵשׁ׃

맛싸성경

7(히, 18:8) 그때 땅은 요동치고 흔들렸으며 산(들)의 기초들은 떨었으니 이는 그분이 진노하셨기 때문이라. 8(9) 그분의 코로부터 연기가 올라갔고 그분의 입에서 불이 삼켜져 버렸으며 그로부터 타는 숯(들)이 그것들을 태워버렸도다. 9(10) 그분은 하늘을 낮추시고 내려오셨으니 그분의 발아래에는 어두운 구름이 있었도다. 10(11) 그분은 케룹 위를 타셨고 또 날아서 바람의 날개 위를 날아다니셨도다. 11(12) 그분은 어두움을 자기의 피난처로 만드시고 그 주위로 물의 어두움과 하늘의 짙은 구름으로 천막을 두셨도다. 12(13) 그분 앞에 광채로부터 짙은 구름(들)을 통해 우박과 타는 숯불을 지나가게 하셨도다.

NET

7(H 18:8) The earth heaved and shook. The roots of the mountains trembled; they heaved because he was angry. 8(9) Smoke ascended from his nose; fire devoured as it came from his mouth. He hurled down fiery coals. 9(10) He made the sky sink as he descended; a thick cloud was under his feet. 10(11) He mounted a winged angel and flew; he glided on the wings of the wind. 11(12) He shrouded himself in darkness, in thick rain clouds. 12(13) From the brightness in front of him came hail and fiery coals.

18 WLC

14 וַֽיַּרְעֵם בַּשָּׁמַיִם ׀ יְהוָה וְעֶלְיוֹן יִתֵּן קֹלוֹ בָּרָד וְגַֽחֲלֵי־אֵֽשׁ׃

15 וַיִּשְׁלַח חִצָּיו וַֽיְפִיצֵם וּבְרָקִים רָב וַֽיְהֻמֵּם׃

16 וַיֵּֽרָאוּ ׀ אֲפִיקֵי מַיִם וַֽיִּגָּלוּ מוֹסְדוֹת תֵּבֵל מִגַּעֲרָתְךָ יְהוָה מִנִּשְׁמַת
רוּחַ אַפֶּֽךָ׃

17 יִשְׁלַח מִמָּרוֹם יִקָּחֵנִי יַמְשֵׁנִי מִמַּיִם רַבִּים׃

18 יַצִּילֵנִי מֵאֹיְבִי עָז וּמִשֹּׂנְאַי כִּי־אָמְצוּ מִמֶּֽנִּי׃

19 יְקַדְּמוּנִי בְיוֹם־אֵידִי וַיְהִי־יְהוָה לְמִשְׁעָן לִֽי׃

맛싸성경

13(히, 18:14) 여호와께서는 하늘(들)에서 천둥을 치셨고 지극히 높으신 분이 그의 음성을 발하셨으며 우박과 타는 숯불도 주셨도다. **14(15)** 그분의 화살들을 쏘시고 그들을 흩으셨으며 많은 번개로 그들을 완전히 혼란에 빠뜨리셨도다. **15(16)** 그때 물(들) 밑바닥이 보였고 세상의 기초들이 드러났으니 여호와시여! 주의 책망 때문이며 주의 진노의 바람의 호흡 때문이니이다. **16(17)** 그분은 위에서부터 나를 취하셨으며 많은 물들로부터 나를 건져내셨도다. **17(18)** 그분은 나의 강한 원수들로부터 나를 구출하셨으니 이는 그들이 나보다 강하였음이라. **18(19)** 그들이 나의 재앙의 날에 나를 만나러 왔으나 여호와께서 나를 위해 지원자가 되셨도다.

NET

13(H 18:14) The Lord thundered in the sky; the Most High shouted. **14(15)** He shot his arrows and scattered them, many lightning bolts and routed them. **15(16)** The depths of the sea were exposed; the inner regions of the world were uncovered by your battle cry, Lord, by the powerful breath from your nose. **16(17)** He reached down from above and took hold of me; he pulled me from the surging water. **17(18)** He rescued me from my strong enemy, from those who hate me, for they were too strong for me. **18(19)** They confronted me in my day of calamity, but the Lord helped me.

18 WLC

20 וַיּוֹצִיאֵנִי לַמֶּרְחָב יְחַלְּצֵנִי כִּי חָפֵץ בִּי׃

21 יִגְמְלֵנִי יְהוָה כְּצִדְקִי כְּבֹר יָדַי יָשִׁיב לִי׃

22 כִּי־שָׁמַרְתִּי דַּרְכֵי יְהוָה וְלֹא־רָשַׁעְתִּי מֵאֱלֹהָי׃

23 כִּי כָל־מִשְׁפָּטָיו לְנֶגְדִּי וְחֻקֹּתָיו לֹא־אָסִיר מֶנִּי׃

24 וָאֱהִי תָמִים עִמּוֹ וָאֶשְׁתַּמֵּר מֵעֲוֺנִי׃

25 וַיָּשֶׁב־יְהוָה לִי כְצִדְקִי כְּבֹר יָדַי לְנֶגֶד עֵינָיו׃

26 עִם־חָסִיד תִּתְחַסָּד עִם־גְּבַר תָּמִים תִּתַּמָּם׃

27 עִם־נָבָר תִּתְבָּרָר וְעִם־עִקֵּשׁ תִּתְפַּתָּל׃

28 כִּי־אַתָּה עַם־עָנִי תוֹשִׁיעַ וְעֵינַיִם רָמוֹת תַּשְׁפִּיל׃

맛싸성경

19(히, 18:20) 그분이 나를 넓은 곳으로 이끌어내시고 나를 구출하셨으니 이는 그분이 나를 기뻐하셨음이라. **20(21)** 여호와께서는 내 의로움같이 나를 대하셨고 나의 손의 깨끗함같이 내게 돌려주셨도다. **21(22)** 이는 내가 여호와의 길들을 지켰으며 내 하나님께(로부터) 사악을 행하지 않았음이라. **22(23)** 이는 그분의 모든 법도(들)이 내 앞에 있었고 나는 그분의 규례(들)를 내게서 떠나지 않게 하였음이라. **23(24)** 나는 그분과 함께 온전하였고 나는 나의 범죄에서부터 스스로 지켰도다. **24(25)** 그래서 여호와는 내 의같이 내 손의 깨끗함같이 그분의 눈앞에서 내게 돌려주셨도다. **25(26)** 신실한 자에게는 주께서 신실함을 나타내시고 온전한 사람에게는 주께서 온전함을 나타내시나이다. **26(27)** 순결한 자에게는 주께서 순결함을 나타내시고 왜곡된 자들에게는 주께서 비뚤어짐을 드러나게 하시나이다. **27(28)** 이는 주께서 겸손한 자를 구원하시고 교만한 눈들을 낮추시기 때문이라.

NET

19(H 18:20) He brought me out into a wide open place; he delivered me because he was pleased with me. **20(21)** The Lord repaid me for my godly deeds; he rewarded my blameless behavior. **21(22)** For I have obeyed the Lord's commands; I have not rebelled against my God. **22(23)** For I am aware of all his regulations, and I do not reject his rules. **23(24)** I was innocent before him, and kept myself from sinning. **24(25)** The Lord rewarded me for my godly deeds; he took notice of my blameless behavior. **25(26)** You prove to be loyal to one who is faithful; you prove to be trustworthy to one who is innocent. **26(27)** You prove to be reliable to one who is blameless, but you prove to be deceptive to one who is perverse. **27(28)** For you deliver oppressed people, but you bring down those who have a proud look.

18 WLC

29 כִּי־אַתָּה תָּאִיר נֵרִי יְהוָה אֱלֹהַי יַגִּיהַּ חָשְׁכִּי׃

30 כִּי־בְךָ אָרֻץ גְּדוּד וּבֵאלֹהַי אֲדַלֶּג־שׁוּר׃

31 הָאֵל תָּמִים דַּרְכּוֹ אִמְרַת־יְהוָה צְרוּפָה מָגֵן הוּא לְכֹל ׀ הַחֹסִים בּוֹ׃

32 כִּי מִי אֱלוֹהַּ מִבַּלְעֲדֵי יְהוָה וּמִי צוּר זוּלָתִי אֱלֹהֵינוּ׃

33 הָאֵל הַמְאַזְּרֵנִי חָיִל וַיִּתֵּן תָּמִים דַּרְכִּי׃

34 מְשַׁוֶּה רַגְלַי כָּאַיָּלוֹת וְעַל בָּמֹתַי יַעֲמִידֵנִי׃

35 מְלַמֵּד יָדַי לַמִּלְחָמָה וְנִחֲתָה קֶשֶׁת־נְחוּשָׁה זְרוֹעֹתָי׃

36 וַתִּתֶּן־לִי מָגֵן יִשְׁעֶךָ וִימִינְךָ תִסְעָדֵנִי וְעַנְוַתְךָ תַרְבֵּנִי׃

맛싸성경

28(히, 18:29) 이는 주께서 나의 등불을 켜실 것이며 내 하나님 여호와께서 나의 어두움을 밝히기 때문이라. **29(30)** 이는 주를 인하여 내가 군대(로) 달려가고 나의 하나님으로 인하여 내가 담을 뛰어넘을 것이라. **30(31)** 하나님이시지 않는가? 그분의 길은 온전하시고 여호와의 말씀들은 순수하며 그분은 그분 안에 피하는 모든 자들에게 방패이시라. **31(32)** 이는 여호와 외에 누가 하나님이시며 우리 하나님 외에 누가 (우리) 바위이신가? **32(33)** 하나님이시지 않는가? 나를 힘으로 무장해 주시고 나의 길을 온전하게 해주시도다. **33(34)** 주께서 나의 발을 암사슴 같게 하시고 나를 높은 곳에 세우시도다. **34(35)** 내 손으로 전쟁을 할 수 있도록 가르치시는 분이시고 내 팔이 놋 활을 당기게 하시도다. **35(36)** 주께서 내게 구원의 방패를 주셨고 주의 오른손이 나를 붙들어 주셨으며 주께서 주의 온유함으로 나를 크게 하셨나이다.

NET

28(H 18:29) Indeed, you light my lamp, Lord. My God illuminates the darkness around me. **29(30)** Indeed, with your help I can charge against an army; by my God's power I can jump over a wall. **30(31)** The one true God acts in a faithful manner; the Lord's promise is reliable. He is a shield to all who take shelter in him. **31(32)** Indeed, who is God besides the Lord? Who is a protector besides our God? **32(33)** The one true God gives me strength; he removes the obstacles in my way. **33(34)** He gives me the agility of a deer; he enables me to negotiate the rugged terrain. **34(35)** He trains my hands for battle; my arms can bend even the strongest bow. **35(36)** You give me your protective shield; your right hand supports me. Your willingness to help enables me to prevail.

18 WLC

‎37 תַּרְחִיב צַעֲדִי תַחְתָּי וְלֹא מָעֲדוּ קַרְסֻלָּי׃

‎38 אֶרְדּוֹף אוֹיְבַי וְאַשִּׂיגֵם וְלֹא־אָשׁוּב עַד־כַּלּוֹתָם׃

‎39 אֶמְחָצֵם וְלֹא־יֻכְלוּ קוּם יִפְּלוּ תַּחַת רַגְלָי׃

‎40 וַתְּאַזְּרֵנִי חַיִל לַמִּלְחָמָה תַּכְרִיעַ קָמַי תַּחְתָּי׃

‎41 וְאֹיְבַי נָתַתָּה לִּי עֹרֶף וּמְשַׂנְאַי אַצְמִיתֵם׃

‎42 יְשַׁוְּעוּ וְאֵין־מוֹשִׁיעַ עַל־יְהוָה וְלֹא עָנָם׃

‎43 וְאֶשְׁחָקֵם כְּעָפָר עַל־פְּנֵי־רוּחַ כְּטִיט חוּצוֹת אֲרִיקֵם׃

‎44 תְּפַלְּטֵנִי מֵרִיבֵי עָם תְּשִׂימֵנִי לְרֹאשׁ גּוֹיִם עַם לֹא־יָדַעְתִּי יַעַבְדוּנִי׃

맛싸성경

36(히, 18:37) 주께서 내 걸음을 내 아래서 넓히셨으며 주께서 내 발목이 흔들리지 않게 하셨나이다. **37(38)** 나는 내 원수들을 쫓아가고 그들을 추격하리니 그들을 완전히 멸할 때까지 돌아오지 않겠나이다. **38(39)** 내가 그들을 쳐부술 것이니 그들은 일어날 수 없으며 내 발밑에서 넘어질 것이라. **39(40)** 주께서 전쟁을 (하기) 위해서 나를 힘으로 두르셨고 주께서 나를 대항하여 서는 자들을 내 밑으로 낮추셨나이다. **40(41)** 주께서 내 원수들로 내게 등을 돌리게 하셨으며 나를 미워하는 자들을 멸망하게 하셨나이다. **41(42)** 그들이 부르짖으나 구원자가 없었으니 여호와께서도 그들에게 응답하지 않으셨도다. **42(43)** 나는 그들을 바람의 표면에서 먼지같이 부수었으며 나는 거리들의 진흙같이 그들을 던져버렸도다. **43(44)** 주께서 나를 백성의 싸움에서부터 구하시고 나를 민족들의 머리가 되게 하셨으니 내가 알지 못하는 사람들이 나를 섬기게 하셨나이다.

NET

36(H 18:37) You widen my path; my feet do not slip. **37(38)** I chase my enemies and catch them; I do not turn back until I wipe them out. **38(39)** I beat them to death; they fall at my feet. **39(40)** You give me strength for battle; you make my foes kneel before me. **40(41)** You make my enemies retreat; I destroy those who hate me. **41(42)** They cry out, but there is no one to help them; they cry out to the Lord, but he does not answer them. **42(43)** I grind them as fine windblown dust; I beat them underfoot like clay in the streets. **43(44)** You rescue me from a hostile army. You make me a leader of nations; people over whom I had no authority are now my subjects.

18 WLC

45 לְשֵׁמַע אֹזֶן יִשָּׁמְעוּ לִי בְּנֵי־נֵכָר יְכַחֲשׁוּ־לִי׃

46 בְּנֵי־נֵכָר יִבֹּלוּ וְיַֽחְרְגוּ מִמִּסְגְּרוֹתֵיהֶם׃

47 חַי־יְהוָה וּבָרוּךְ צוּרִי וְיָרוּם אֱלוֹהֵי יִשְׁעִי׃

48 הָאֵל הַנּוֹתֵן נְקָמוֹת לִי וַיַּדְבֵּר עַמִּים תַּחְתָּי׃

49 מְפַלְּטִי מֵאֹיְבָי אַף מִן־קָמַי תְּרוֹמְמֵנִי מֵאִישׁ חָמָס תַּצִּילֵנִי׃

50 עַל־כֵּן ׀ אוֹדְךָ בַגּוֹיִם ׀ יְהוָה וּלְשִׁמְךָ אֲזַמֵּרָה׃

51 [מגדל כ] (מַגְדִּיל ק) יְשׁוּעוֹת מַלְכּוֹ וְעֹשֶׂה חֶסֶד ׀ לִמְשִׁיחוֹ
לְדָוִד וּלְזַרְעוֹ עַד־עוֹלָם׃

맛싸성경

44(히, 18:45) 그들이 귀로 들을 때 그들은 들을 것이며 이방인들도 내게 복종할 것이라. **45(46)** 이방인 자손들이 약해지고 그들은 그 경계에서부터 떨게 될 것이라. **46(47)** 여호와는 살아계시니 나의 반석을 송축할지로다. 나의 구원의 하나님은 높임을 받을 것이라. **47(48)** 하나님이시지 않는가? 나를 위해 보복해 주시고 그분은 민족들을 내 아래 복종시키시는도다. **48(49)** 그분은 내 원수로부터 나를 구하시고 나를 대항하여 선 자들로부터 나를 높이셨으며 폭력의 사람에게서 나를 구해내셨도다. **49(50)** 그러므로 여호와시여! 내가 민족들 가운데 주를 찬양하고 주의 이름을 위해서 내가 노래하리이다. **50(51)** (그분은) 그의 왕에게 큰 승리를 주시고 그의 기름 부음 받은 자에게 다윗에게 또 그 후손에게 영원히 인애를 베푸실 것이라.

NET

44(H 18:45) When they hear of my exploits, they submit to me. Foreigners are powerless before me. **45(46)** Foreigners lose their courage; they shake with fear as they leave their strongholds. **46(47)** The Lord is alive! My Protector is praiseworthy. The God who delivers me is exalted as king. **47(48)** The one true God completely vindicates me; he makes nations submit to me. **48(49)** He delivers me from my enemies. You snatch me away from those who attack me; you rescue me from violent men. **49(50)** So I will give you thanks before the nations, O Lord. I will sing praises to you. **50(51)** He gives his king magnificent victories; he is faithful to his chosen ruler, to David and his descendants forever."

19 WLC

1 לַמְנַצֵּחַ מִזְמוֹר לְדָוִד׃

2 הַשָּׁמַיִם מְסַפְּרִים כְּבוֹד־אֵל וּמַעֲשֵׂה יָדָיו מַגִּיד הָרָקִיעַ׃

3 יוֹם לְיוֹם יַבִּיעַ אֹמֶר וְלַיְלָה לְּלַיְלָה יְחַוֶּה־דָּעַת׃

4 אֵין־אֹמֶר וְאֵין דְּבָרִים בְּלִי נִשְׁמָע קוֹלָם׃

5 בְּכָל־הָאָרֶץ ׀ יָצָא קַוָּם וּבִקְצֵה תֵבֵל מִלֵּיהֶם לַשֶּׁמֶשׁ שָׂם־אֹהֶל בָּהֶם׃

6 וְהוּא כְּחָתָן יֹצֵא מֵחֻפָּתוֹ יָשִׂישׂ כְּגִבּוֹר לָרוּץ אֹרַח׃

7 מִקְצֵה הַשָּׁמַיִם ׀ מוֹצָאוֹ וּתְקוּפָתוֹ עַל־קְצוֹתָם וְאֵין נִסְתָּר מֵחַמָּתוֹ׃

맛싸성경

(히, 19.1) [지휘자를 위한 다윗의 시] 1(2) 하늘(들)은 하나님의 영광을 공포하고 창공은 그분의 손으로 만드신 것을 선포하는도다. 2(3) 날(낮)은 날(낮)에게 말을 쏟아내고 밤은 밤에게 지식을 알려주도다. 3(4) 말도 없고 언어도 없으며 그것들의 소리도 들려지지 않도다. 4(5) (그러나) 그들의 전언은 온 땅으로 나가고 그들의 말들은 세상의 끝까지 가고 있도다. 태양을 위하여 그곳에 천막(장막)을 그들 가운데 두셨으니 5(6) 태양은 그의 신혼 방에서 나오는 신랑 같고 그것은 용사같이 (자기) 길을 달리기를 기뻐하며 6(7) 그(것의) 나옴은 하늘의 한 끝에서부터이며 그 회전(운행)은 그 (것들의) 다른 끝이니 그의 열기에서부터 숨겨질 것은 없도다.

NET

1(H 19:1) For the music director, a psalm of David. (2) The heavens declare the glory of God; the sky displays his handiwork. 2(3) Day after day it speaks out; night after night it reveals his greatness. 3(4) There is no actual speech or word, nor is its voice literally heard. 4(5) Yet its voice echoes throughout the earth; its words carry to the distant horizon. In the sky he has pitched a tent for the sun. 5(6) Like a bridegroom it emerges from its chamber; like a strong man it enjoys running its course. 6(7) It emerges from the distant horizon, and goes from one end of the sky to the other; nothing can escape its heat.

19 WLC

8 תּוֹרַת יְהוָה תְּמִימָה מְשִׁיבַת נָפֶשׁ עֵדוּת יְהוָה נֶאֱמָנָה מַחְכִּימַת פֶּתִי׃

9 פִּקּוּדֵי יְהוָה יְשָׁרִים מְשַׂמְּחֵי־לֵב מִצְוַת יְהוָה בָּרָה מְאִירַת עֵינָיִם׃

10 יִרְאַת יְהוָה ׀ טְהוֹרָה עוֹמֶדֶת לָעַד מִשְׁפְּטֵי־יְהוָה אֱמֶת צָדְקוּ יַחְדָּו׃

11 הַנֶּחֱמָדִים מִזָּהָב וּמִפַּז רָב וּמְתוּקִים מִדְּבַשׁ וְנֹפֶת צוּפִים׃

12 גַּם־עַבְדְּךָ נִזְהָר בָּהֶם בְּשָׁמְרָם עֵקֶב רָב׃

13 שְׁגִיאוֹת מִי־יָבִין מִנִּסְתָּרוֹת נַקֵּנִי׃

14 גַּם מִזֵּדִים ׀ חֲשֹׂךְ עַבְדֶּךָ אַל־יִמְשְׁלוּ־בִי אָז אֵיתָם וְנִקֵּיתִי מִפֶּשַׁע רָב׃

15 יִהְיוּ לְרָצוֹן ׀ אִמְרֵי־פִי וְהֶגְיוֹן לִבִּי לְפָנֶיךָ יְהוָה צוּרִי וְגֹאֲלִי׃

맛싸성경

7(히, 19:8) 여호와의 율법은 완벽하여 영혼을 회복시키고 여호와의 증거는 신실하여 순진한 자를 지혜롭게 하며 **8(9)** 여호와의 교훈(들)은 올바르니 마음을 기쁘게 하고 여호와의 명령은 순수하여 눈(들)을 밝히시도다. **9(10)** 여호와를 경외함은 정결하여 영원까지 서게 하고 여호와의 법도는 진리이며 그 모든 것이 다 의롭도다. **10(11)** 그것들은 금보다 더 소중하고 많은 순금보다도 소중하도다. 그것들은 꿀보다 그리고 벌집의 순수한 꿀보다 더 달도다. **11(12)** 또한 주의 종은 그것들로 경고를 받고 그것들을 지킴으로써 보상이 크도다. **12(13)** 누가 과실들을 깨닫겠나이까? 숨겨진 것들에서부터 나를 무죄하다 하소서. **13(14)** 또한 주의 종을 자만함에서부터 물러서게 하셔서 그것들이 나를 다스리지 못하게 하소서. 그때 나는 온전할 것이고 나는 많은 위반에서부터 무죄할 것이니이다. **14(15)** 내 입의 말들과 내 마음의 묵상이 주 앞에 기쁘게 하는 것이 되게 하소서. 여호와는 나의 반석이시오 나의 구속자이시나이다.

NET

7(H 19:8) The law of the Lord is perfect and preserves one's life. The rules set down by the Lord are reliable and impart wisdom to the inexperienced. **8(9)** The Lord's precepts are fair and make one joyful. The Lord's commands are pure and give insight for life. **9(10)** The commands to fear the Lord are right and endure forever. The judgments given by the Lord are trustworthy and absolutely just. **10(11)** They are of greater value than gold, than even a great amount of pure gold; they bring greater delight than honey, than even the sweetest honey from a honeycomb. **11(12)** Yes, your servant finds moral guidance there; those who obey them receive a rich reward. **12(13)** Who can know all his errors? Please do not punish me for sins I am unaware of. **13(14)** Moreover, keep me from committing flagrant sins; do not allow such sins to control me. Then I will be blameless and innocent of blatant rebellion. **14(15)** May my words and my thoughts be acceptable in your sight, O Lord, my sheltering rock and my redeemer.

20 WLC

1 לַמְנַצֵּחַ מִזְמוֹר לְדָוִד׃

2 יַעַנְךָ יְהוָה בְּיוֹם צָרָה יְשַׂגֶּבְךָ שֵׁם ׀ אֱלֹהֵי יַעֲקֹב׃

3 יִשְׁלַח־עֶזְרְךָ מִקֹּדֶשׁ וּמִצִּיּוֹן יִסְעָדֶךָּ׃

4 יִזְכֹּר כָּל־מִנְחֹתֶךָ וְעוֹלָתְךָ יְדַשְּׁנֶה סֶלָה׃

5 יִתֶּן־לְךָ כִלְבָבֶךָ וְכָל־עֲצָתְךָ יְמַלֵּא׃

6 נְרַנְּנָה ׀ בִּישׁוּעָתֶךָ וּבְשֵׁם־אֱלֹהֵינוּ נִדְגֹּל יְמַלֵּא יְהוָה כָּל־מִשְׁאֲלוֹתֶיךָ׃

7 עַתָּה יָדַעְתִּי כִּי הוֹשִׁיעַ ׀ יְהוָה מְשִׁיחוֹ יַעֲנֵהוּ מִשְּׁמֵי קָדְשׁוֹ בִּגְבֻרוֹת יֵשַׁע יְמִינוֹ׃

8 אֵלֶּה בָרֶכֶב וְאֵלֶּה בַסּוּסִים וַאֲנַחְנוּ ׀ בְּשֵׁם־יְהוָה אֱלֹהֵינוּ נַזְכִּיר׃

9 הֵמָּה כָּרְעוּ וְנָפָלוּ וַאֲנַחְנוּ קַּמְנוּ וַנִּתְעוֹדָד׃

10 יְהוָה הוֹשִׁיעָה הַמֶּלֶךְ יַעֲנֵנוּ בְיוֹם־קָרְאֵנוּ׃

맛싸성경

(히, 20:1) [지휘자를 위한 다윗의 시] **1(2)** 곤란한 날에 여호와께서 네게 응답하시고 야곱의 하나님의 이름이 너를 보호하시며 **2(3)** 주께서 성소에서부터 네게 도움을 보내시고 시온에서부터 너를 부양하시며 **3(4)** 주께서 네 모든 곡식제들을 기억하시고 네 태움제를 받으시기를 원하노라. 셀라. **4(5)** 주께서 네 마음을 따라서 주시고 네 모든 계획을 이루어 주시기를 원하노라. **5(6)** 네 구원으로 우리는 크게 기뻐하고 우리 하나님의 이름으로 우리들이 깃발을 들 것이니 여호와께서 네 모든 소원(들)을 이루어 주시기를 원하노라. **6(7)** 이제 내가 아는 것은 여호와께서 그분의 기름 부음 받은 자를 구원하시는 것이라. 주께서 그의 거룩한 하늘에서부터 그의 오른손의 구원의 능력으로 그에게 응답하실 것이라. **7(8)** 이들은 병거를 저들은 말들을 (의지하나) 우리는 우리 하나님 여호와의 이름으로 고백하리로다. **8(9)** 그들은 무릎을 꿇고 엎드려졌으나 우리는 일어나서 바르게 설 것이라. **9(10)** 여호와시여! 왕을 구원하소서. 우리들이 부르짖는 날에 주께서 우리에게 응답하소서.

NET

1(H 20:1) For the music director, a psalm of David. **(2)** May the Lord answer you when you are in trouble; may the God of Jacob make you secure. **2(3)** May he send you help from his temple; from Zion may he give you support. **3(4)** May he take notice of all your offerings; may he accept your burnt sacrifice. (Selah) **4(5)** May he grant your heart's desire; may he bring all your plans to pass. **5(6)** Then we will shout for joy over your victory; we will rejoice in the name of our God. May the Lord grant all your requests. **6(7)** Now I am sure that the Lord will deliver his chosen king; he will intervene for him from his holy, heavenly temple, and display his mighty ability to deliver. **7(8)** Some trust in chariots and others in horses, but we depend on the Lord our God. **8(9)** They will fall down, but we will stand firm. **9(10)** The Lord will deliver the king; he will answer us when we call to him for help!

21 WLC

1 לַמְנַצֵּחַ מִזְמוֹר לְדָוִד׃

2 יְהוָה בְּעָזְּךָ יִשְׂמַח־מֶלֶךְ וּבִישׁוּעָתְךָ מַה־[יגיל כ] (יָּגֶל ק) מְאֹד׃

3 תַּאֲוַת לִבּוֹ נָתַתָּה לּוֹ וַאֲרֶשֶׁת שְׂפָתָיו בַּל־מָנַעְתָּ סֶּלָה׃

4 כִּי־תְקַדְּמֶנּוּ בִּרְכוֹת טוֹב תָּשִׁית לְרֹאשׁוֹ עֲטֶרֶת פָּז׃

5 חַיִּים ׀ שָׁאַל מִמְּךָ נָתַתָּה לּוֹ אֹרֶךְ יָמִים עוֹלָם וָעֶד׃

6 גָּדוֹל כְּבוֹדוֹ בִּישׁוּעָתֶךָ הוֹד וְהָדָר תְּשַׁוֶּה עָלָיו׃

7 כִּי־תְשִׁיתֵהוּ בְרָכוֹת לָעַד תְּחַדֵּהוּ בְשִׂמְחָה אֶת־פָּנֶיךָ׃

맛싸성경

(히, 21:1) [지휘자를 위한 다윗의 시] **1(2)** 여호와시여! 주의 능력으로 왕께서 기뻐하게 하시고 주의 구원으로 인하여 얼마든지 그로 매우 즐거워하게 하소서. **2(3)** 주께서 그 마음의 갈망을 그에게 허락하셨으며 그의 입술의 소원을 거부하지 않으셨나이다. 셀라. **3(4)** 이는 주께서 아름다운 복으로 그를 맞이해 주시고 순금의 금관을 그의 머리에 씌우셨나이다. **4(5)** 그가 주로부터 생명을 구하니 주께서 그에게 허락하셨나이다. 날들의 길이가 영원하고 또 영원할 것이니이다. **5(6)** 주의 구원으로 그의 영광을 위대하게 하시며 주께서 위엄과 존귀를 그에게 놓아 주소서. **6(7)** 이는 주께서 그에게 복을 영원히 주시고 주는 그로 하여금 주 앞에서 즐거움으로 기쁘게 하셨음이나이다.

NET

1(H 21:1) For the music director, a psalm of David. **(2)** O Lord, the king rejoices in the strength you give; he takes great delight in the deliverance you provide. **2(3)** You grant him his heart's desire; you do not refuse his request. (Selah) **3(4)** For you bring him rich blessings; you place a golden crown on his head. **4(5)** He asked you to sustain his life, and you have granted him long life and an enduring dynasty. **5(6)** Your deliverance brings him great honor; you give him majestic splendor. **6(7)** For you grant him lasting blessings; you give him great joy by allowing him into your presence.

21 WLC

8 כִּי־הַמֶּלֶךְ בֹּטֵחַ בַּיהוָה וּבְחֶסֶד עֶלְיוֹן בַּל־יִמּוֹט׃

9 תִּמְצָא יָדְךָ לְכָל־אֹיְבֶיךָ יְמִינְךָ תִּמְצָא שֹׂנְאֶיךָ׃

10 תְּשִׁיתֵמוֹ ׀ כְּתַנּוּר אֵשׁ לְעֵת פָּנֶיךָ יְהוָה בְּאַפּוֹ יְבַלְּעֵם וְתֹאכְלֵם אֵשׁ׃

11 פִּרְיָמוֹ מֵאֶרֶץ תְּאַבֵּד וְזַרְעָם מִבְּנֵי אָדָם׃

12 כִּי־נָטוּ עָלֶיךָ רָעָה חָשְׁבוּ מְזִמָּה בַּל־יוּכָלוּ׃

13 כִּי תְּשִׁיתֵמוֹ שֶׁכֶם בְּמֵיתָרֶיךָ תְּכוֹנֵן עַל־פְּנֵיהֶם׃

14 רוּמָה יְהוָה בְעֻזֶּךָ נָשִׁירָה וּנְזַמְּרָה גְּבוּרָתֶךָ׃

맛싸성경

7(히, 21:8) 이는 왕이 여호와를 신뢰하오니 지극히 높으신 분의 인애로 그가 흔들리지 않게 하셨음이나이다. **8(9)** 주의 손이 주의 모든 원수를 찾아내시고 주의 오른손이 주를 미워하는 자들을 찾을 것이라. **9(10)** 주는 주의 얼굴(들)의 때(나타나실 때)에 그들을 불타는 화로같이 그(들)로 두실 것이며 여호와께서 그의 노하심으로 그들을 삼키며 불이 그들을 먹어 버릴 것이라. **10(11)** 그들의 열매들은 땅에서 멸망할 것이니 사람들의 아들 중에서 그들의 자손들이라. **11(12)** 비록 그들이 주께 악을 꾸미고 악한 계획을 생각했으나 그것들은 이루어지지 않을 것이라. **12(13)** 또한 주께서 그들의 등을 돌리게(도망가게) 하시며 그들의 얼굴을 향해서 주께서 주의 활줄을 겨눌 것이라. **13(14)** 여호와시여! 주의 능력으로 높임을 받으시고 우리가 주의 권능을 노래하며 찬송하리이다.

NET

7(H 21:8) For the king trusts in the Lord, and because of the Most High's faithfulness he is not shaken. **8(9)** You prevail over all your enemies; your power is too great for those who hate you. **9(10)** You burn them up like a fiery furnace when you appear. The Lord angrily devours them; the fire consumes them. **10(11)** You destroy their offspring from the earth, their descendants from among the human race. **11(12)** Yes, they intend to do you harm; they dream up a scheme, but they do not succeed. **12(13)** For you make them retreat when you aim your arrows at them. **13(14)** Rise up, O Lord, in strength! We will sing and praise your power.

22 WLC

1 לַמְנַצֵּחַ עַל־אַיֶּלֶת הַשַּׁחַר מִזְמוֹר לְדָוִד׃

2 אֵלִי אֵלִי לָמָה עֲזַבְתָּנִי רָחוֹק מִישׁוּעָתִי דִּבְרֵי שַׁאֲגָתִי׃

3 אֱלֹהַי אֶקְרָא יוֹמָם וְלֹא תַעֲנֶה וְלַיְלָה וְלֹא־דוּמִיָּה לִי׃

4 וְאַתָּה קָדוֹשׁ יוֹשֵׁב תְּהִלּוֹת יִשְׂרָאֵל׃

5 בְּךָ בָּטְחוּ אֲבֹתֵינוּ בָּטְחוּ וַתְּפַלְּטֵמוֹ׃

6 אֵלֶיךָ זָעֲקוּ וְנִמְלָטוּ בְּךָ בָטְחוּ וְלֹא־בוֹשׁוּ׃

맛싸성경

(히, 22:1) [지휘자를 위한 '아옐렛 하샤하르'(새벽 암사슴)에 맞춘 다윗의 노래] **1(2)** 나의 하나님, 나의 하나님, 어찌하여 나를 버리셨나이까? 나의 구원으로부터 멀리 계시며 나의 울부짖음의 말에서부터 멀리 계시나이까? **2(3)** 나의 하나님, 내가 낮에 부르짖으나 주께서 대답하지 않으시며 밤에도 나는 잠잠함이 없나이다. **3(4)** 그러나 주는 거룩하시니 이스라엘의 찬양 (가운데) 거하시는 분이시니이다. **4(5)** 주를 우리의 아버지(조상)들은 신뢰하였고 그들이 신뢰하였더니 주께서 그들을 구해 주셨나이다. **5(6)** 주께 그들은 울부짖었고 그들은 구함을 받았으며 주를 그들이 신뢰하였더니 창피(당하지) 않았나이다.

NET

1(H 22:1) For the music director, according to the tune "Morning Doe"; a psalm of David. **(2)** My God, my God, why have you abandoned me? I groan in prayer, but help seems far away. **2(3)** My God, I cry out during the day, but you do not answer, and during the night my prayers do not let up. **3(4)** You are holy; you sit as king receiving the praises of Israel. **4(5)** In you our ancestors trusted; they trusted in you and you rescued them. **5(6)** To you they cried out, and they were saved; in you they trusted and they were not disappointed.

7 וְאָנֹכִי תוֹלַעַת וְלֹא־אִישׁ חֶרְפַּת אָדָם וּבְזוּי עָם׃

8 כָּל־רֹאַי יַלְעִגוּ לִי יַפְטִירוּ בְשָׂפָה יָנִיעוּ רֹאשׁ׃

9 גֹּל אֶל־יְהוָה יְפַלְּטֵהוּ יַצִּילֵהוּ כִּי חָפֵץ בּוֹ׃

10 כִּי־אַתָּה גֹחִי מִבָּטֶן מַבְטִיחִי עַל־שְׁדֵי אִמִּי׃

11 עָלֶיךָ הָשְׁלַכְתִּי מֵרָחֶם מִבֶּטֶן אִמִּי אֵלִי אָתָּה׃

12 אַל־תִּרְחַק מִמֶּנִּי כִּי־צָרָה קְרוֹבָה כִּי־אֵין עוֹזֵר׃

13 סְבָבוּנִי פָּרִים רַבִּים אַבִּירֵי בָשָׁן כִּתְּרוּנִי׃

14 פָּצוּ עָלַי פִּיהֶם אַרְיֵה טֹרֵף וְשֹׁאֵג׃

맛싸성경

6(히, 22:7) 그러나 나는 벌레이지 사람이 아니며 사람들의 모욕과 백성들의 조롱을 (당하는) 자이니이다. **7(8)** 나를 보는 모든 자들이 나를 조소하고 그들은 입술을 삐쭉거리고 머리(들)를 흔들며 **8(9)** (말하기를) "여호와께 굴러가니(믿으니) 그분으로 구하게 하며 그분으로 구출하게 하라. 이는 그분이 그를 기뻐함이라." **9(10)** 이는 주께서 나를 배(태)에서부터 데리고 오시며 나를 내 어머니의 젖을 의지하게 하였나이다. **10(11)** 자궁에서부터 (나는) 주께로 보내졌고 내 어머니의 배(태)에서부터 주는 내 하나님이셨나이다. **11(12)** 나로부터 멀리 계시지 마소서. 이는 고통이 가까이 있으며 도울 자가 없기 때문이니이다. **12(13)** 많은 소들이 나를 둘렀고 바산의 강한 (소)들이 나를 에워쌌으며 **13(14)** 그들이 나에게 그들의 입을 크게 벌리니 (먹이를) 찢어버리는 사자들 같으며 또 울부짖나이다.

NET

6(H 22:7) But I am a worm, not a man; people insult me and despise me. **7(8)** All who see me taunt me; they mock me and shake their heads. **8(9)** They say, "Commit yourself to the Lord! Let the Lord rescue him! Let the Lord deliver him, for he delights in him." **9(10)** Yes, you are the one who brought me out from the womb and made me feel secure on my mother's breasts. **10(11)** I have been dependent on you since birth; from the time I came out of my mother's womb you have been my God. **11(12)** Do not remain far away from me, for trouble is near and I have no one to help me. **12(13)** Many bulls surround me; powerful bulls of Bashan hem me in. **13(14)** They open their mouths to devour me like a roaring lion that rips its prey.

22 WLC

15 כַּמַּיִם נִשְׁפַּכְתִּי וְהִתְפָּרְדוּ כָּל־עַצְמוֹתָי הָיָה לִבִּי כַּדּוֹנָג נָמֵס
בְּתוֹךְ מֵעָי׃

16 יָבֵשׁ כַּחֶרֶשׂ ׀ כֹּחִי וּלְשׁוֹנִי מֻדְבָּק מַלְקוֹחָי וְלַעֲפַר־מָוֶת תִּשְׁפְּתֵנִי׃

17 כִּי סְבָבוּנִי כְּלָבִים עֲדַת מְרֵעִים הִקִּיפוּנִי כָּאֲרִי יָדַי וְרַגְלָי׃

18 אֲסַפֵּר כָּל־עַצְמוֹתָי הֵמָּה יַבִּיטוּ יִרְאוּ־בִי׃

19 יְחַלְּקוּ בְגָדַי לָהֶם וְעַל־לְבוּשִׁי יַפִּילוּ גוֹרָל׃

20 וְאַתָּה יְהוָה אַל־תִּרְחָק אֱיָלוּתִי לְעֶזְרָתִי חוּשָׁה׃

21 הַצִּילָה מֵחֶרֶב נַפְשִׁי מִיַּד־כֶּלֶב יְחִידָתִי׃

22 הוֹשִׁיעֵנִי מִפִּי אַרְיֵה וּמִקַּרְנֵי רֵמִים עֲנִיתָנִי׃

맛싸성경

14(히, 22:15) 나는 물같이 쏟아지고 내 모든 뼈들은 흩어지며 내 마음은 밀랍 같고 내 창자 안에서 녹나이다. **15(16)** 나의 힘은 질그릇같이 말라버리고 내 혀는 내 입천장에 붙어있으며 주께서 나를 죽음의 흙으로 내려놓았나이다. **16(17)** 이는 개들이 나를 둘러싸고 있고 악을 행하는 자들의 회중이 나를 에워싸고 있음이라. 사자같이 그들은 내 손과 내 발들을 찌르나이다. **17(18)** 나는 내 모든 뼈들을 세었고 그들은 자세히 보고 나를 보나이다. **18(19)** 그들은 자기들을 위해서 내 옷을 나누었고 내 옷을 위해서 그들이 제비를 뽑나이다. **19(20)** 그러나 주 여호와시여! 멀리 계시지 마소서. 내 힘이시여! 속히 내 도움이 되소서. **20(21)** 내 영혼을 칼에서 (곧) 내 유일한 것(생명)을 개의 발에서부터 구출하소서. **21(22)** 나를 사자의 입에서부터 구원하시며 그리고 들소의 뿔들로부터 내게 응답하소서.

NET

14(H 22:15) My strength drains away like water; all my bones are dislocated. My heart is like wax; it melts away inside me. **15(16)** The roof of my mouth is as dry as a piece of pottery; my tongue sticks to my gums. You set me in the dust of death. **16(17)** Yes, wild dogs surround me—a gang of evil men crowd around me; like a lion they pin my hands and feet. **17(18)** I can count all my bones; my enemies are gloating over me in triumph. **18(19)** They are dividing up my clothes among themselves; they are rolling dice for my garments. **19(20)** But you, O Lord, do not remain far away. You are my source of strength. Hurry and help me! **20(21)** Deliver me from the sword. Save my life from the claws of the wild dogs. **21(22)** Rescue me from the mouth of the lion and from the horns of the wild oxen. You have answered me.

22 WLC

23 אֲסַפְּרָה שִׁמְךָ לְאֶחָי בְּתוֹךְ קָהָל אֲהַלְלֶךָּ:

24 יִרְאֵי יְהוָה ׀ הַלְלוּהוּ כָּל־זֶרַע יַעֲקֹב כַּבְּדוּהוּ וְגוּרוּ מִמֶּנּוּ

כָּל־זֶרַע יִשְׂרָאֵל:

25 כִּי לֹא־בָזָה וְלֹא שִׁקַּץ עֱנוּת עָנִי וְלֹא־הִסְתִּיר פָּנָיו מִמֶּנּוּ

וּבְשַׁוְּעוֹ אֵלָיו שָׁמֵעַ:

26 מֵאִתְּךָ תְהִלָּתִי בְּקָהָל רָב נְדָרַי אֲשַׁלֵּם נֶגֶד יְרֵאָיו:

27 יֹאכְלוּ עֲנָוִים ׀ וְיִשְׂבָּעוּ יְהַלְלוּ יְהוָה דֹּרְשָׁיו יְחִי לְבַבְכֶם לָעַד:

맛싸성경

22(히, 22:23) 내가 주의 이름을 내 형제들에게 선포하며 회중 가운데서 내가 주를 찬양할 것이라. 23(24) 여호와를 경외하는 자들아, 그분을 찬양하라. 야곱의 모든 자손들아, 그분을 공경하라. 이스라엘의 모든 자손들아, 그로부터 두려워하여라. 24(25) 이는 그분은 가난한 자의 고통을 멸시하지도 혐오하시지도 않으시고 그로부터 그분의 얼굴을 숨기시지 않으시기 때문이라. 그가 그분에게 도움을 구할 때 그분은 들으셨도다. 25(26) 많은 회중가운데 내 찬양이 주께만 있게 하시며 그분을 경외하는 자들 앞에서 나는 서원을 갚을 것이라. 26(27) 가난한 자들은 먹고 배부를 것이고 그를 찾는 자들은 여호와를 찬양할 것이라. 너희 마음으로 영원히 살게 할 것이라.

NET

22(H 22:23) I will declare your name to my countrymen. In the middle of the assembly I will praise you. 23(24) You loyal followers of the Lord, praise him. All you descendants of Jacob, honor him. All you descendants of Israel, stand in awe of him. 24(25) For he did not despise or detest the suffering of the oppressed. He did not ignore him; when he cried out to him, he responded. 25(26) You are the reason I offer praise in the great assembly; I will fulfill my promises before the Lord's loyal followers. 26(27) Let the oppressed eat and be filled. Let those who seek his help praise the Lord. May you live forever!

28 יִזְכְּרוּ ׀ וְיָשֻׁבוּ אֶל־יְהוָה כָּל־אַפְסֵי־אָרֶץ וְיִשְׁתַּחֲווּ לְפָנֶיךָ
כָּל־מִשְׁפְּחוֹת גּוֹיִם׃
29 כִּי לַיהוָה הַמְּלוּכָה וּמֹשֵׁל בַּגּוֹיִם׃
30 אָכְלוּ וַיִּשְׁתַּחֲוּוּ ׀ כָּל־דִּשְׁנֵי־אֶרֶץ לְפָנָיו יִכְרְעוּ כָּל־יוֹרְדֵי עָפָר וְנַפְשׁוֹ
לֹא חִיָּה׃
31 זֶרַע יַעַבְדֶנּוּ יְסֻפַּר לַאדֹנָי לַדּוֹר׃
32 יָבֹאוּ וְיַגִּידוּ צִדְקָתוֹ לְעַם נוֹלָד כִּי עָשָׂה׃

맛싸성경

27(히, 22:28) 땅의 모든 끝이 기억하고 여호와께로 돌아올 것이라. 나라들의 모든 가족(족속)들이 주 앞에서 예배할 것이라. **28(29)** 이는 왕국이 여호와의 것이고 그분은 나라들을 통치하시는 분이심이라. **29(30)** 땅의 모든 기름진 자들이 먹고 예배할 것이라. 흙으로 내려가는 모든 자들이 그분 앞에서 무릎을 꿇을 것이며 자기 영혼을 살리지 못하는 자들도 그리할 것이라.(꿇을 것이라). **30(31)** 자손이 그분을 섬기며 주님께 대하여 (각) 세대에도 선포되어질 것이니 **31(32)** 그들이 와서 그분의 의로움에 대해서 태어날 백성들에게 "그분이 하셨다."고 할 것이라.

NET

27(H 22:28) Let all the people of the earth acknowledge the Lord and turn to him. Let all the nations worship you. **28(29)** For the Lord is king and rules over the nations. **29(30)** All the thriving people of the earth will join the celebration and worship; all those who are descending into the grave will bow before him, including those who cannot preserve their lives. **30(31)** A whole generation will serve him; they will tell the next generation about the Lord. **31(32)** They will come and tell about his saving deeds; they will tell a future generation what he has accomplished.

23 WLC

1 מִזְמוֹר לְדָוִד יְהוָה רֹעִי לֹא אֶחְסָר:

2 בִּנְאוֹת דֶּשֶׁא יַרְבִּיצֵנִי עַל־מֵי מְנֻחוֹת יְנַהֲלֵנִי:

3 נַפְשִׁי יְשׁוֹבֵב יַנְחֵנִי בְמַעְגְּלֵי־צֶדֶק לְמַעַן שְׁמוֹ:

4 גַּם כִּי־אֵלֵךְ בְּגֵיא צַלְמָוֶת לֹא־אִירָא רָע כִּי־אַתָּה עִמָּדִי שִׁבְטְךָ

וּמִשְׁעַנְתֶּךָ הֵמָּה יְנַחֲמֻנִי:

5 תַּעֲרֹךְ לְפָנַי ׀ שֻׁלְחָן נֶגֶד צֹרְרָי דִּשַּׁנְתָּ בַשֶּׁמֶן רֹאשִׁי כּוֹסִי רְוָיָה:

6 אַךְ ׀ טוֹב וָחֶסֶד יִרְדְּפוּנִי כָּל־יְמֵי חַיָּי וְשַׁבְתִּי בְּבֵית־יְהוָה

לְאֹרֶךְ יָמִים:

맛싸성경

1 [다윗의 시] 여호와는 나의 목자이시니 나는 부족하지 않을 것이라. 2 그분께서 새로 난 풀 목초지에 나를 눕게 하시고 휴식하는 물가로 나를 이끄실 것이라. 3 그분이 내 영혼을 회복시키시고 그(분)의 이름을 위하여 의의 코스(길)들로 나를 인도하실 것이라. 4 또한 죽음의 그늘이 있는 골짜기로 내가 걸을 때에도 내가 재난을 두려워하지 않을 것이니 이는 주께서 나와 함께 계심이라. 주의 지팡이와 주의 막대기가 나를 위로하실 것이라. 5 주께서 내 대적의 맞은편에 식탁을 내 앞에 마련해 주시고 주께서 내 머리에 기름으로 기름지게 하시니 내 잔이 넘치도다. 6 참으로 선하심과 인애가 내 모든 사는 날까지 나를 따라다닐 것이니 사는 날 동안 (영원히) 여호와의 집에 나는 거할 것이라.

NET

1 A psalm of David. The Lord is my shepherd, I lack nothing. 2 He takes me to lush pastures, he leads me to refreshing water. 3 He restores my strength. He leads me down the right paths for the sake of his reputation. 4 Even when I must walk through the darkest valley, I fear no danger, for you are with me; your rod and your staff reassure me. 5 You prepare a feast before me in plain sight of my enemies. You refresh my head with oil; my cup is completely full. 6 Surely your goodness and faithfulness will pursue me all my days, and I will live in the Lord's house for the rest of my life.

24 WLC

1 לְדָוִד מִזְמוֹר לַיהוָה הָאָרֶץ וּמְלוֹאָהּ תֵּבֵל וְיֹשְׁבֵי בָהּ׃

2 כִּי־הוּא עַל־יַמִּים יְסָדָהּ וְעַל־נְהָרוֹת יְכוֹנְנֶהָ׃

3 מִי־יַעֲלֶה בְהַר־יְהוָה וּמִי־יָקוּם בִּמְקוֹם קָדְשׁוֹ׃

4 נְקִי כַפַּיִם וּבַר־לֵבָב אֲשֶׁר ׀ לֹא־נָשָׂא לַשָּׁוְא נַפְשִׁי וְלֹא נִשְׁבַּע לְמִרְמָה׃

5 יִשָּׂא בְרָכָה מֵאֵת יְהוָה וּצְדָקָה מֵאֱלֹהֵי יִשְׁעוֹ׃

6 זֶה דּוֹר [דֹּרְשׁוֹ כ] (דֹּרְשָׁיו ק) מְבַקְשֵׁי פָנֶיךָ יַעֲקֹב סֶלָה׃

7 שְׂאוּ שְׁעָרִים ׀ רָאשֵׁיכֶם וְהִנָּשְׂאוּ פִּתְחֵי עוֹלָם וְיָבוֹא מֶלֶךְ הַכָּבוֹד׃

8 מִי זֶה מֶלֶךְ הַכָּבוֹד יְהוָה עִזּוּז וְגִבּוֹר יְהוָה גִּבּוֹר מִלְחָמָה׃

9 שְׂאוּ שְׁעָרִים ׀ רָאשֵׁיכֶם וּשְׂאוּ פִּתְחֵי עוֹלָם וְיָבֹא מֶלֶךְ הַכָּבוֹד׃

10 מִי הוּא זֶה מֶלֶךְ הַכָּבוֹד יְהוָה צְבָאוֹת הוּא מֶלֶךְ הַכָּבוֹד סֶלָה׃

맛싸성경

1 [다윗의 시] 땅과 그 안에 가득 찬 것들은 여호와의 것이며 세상과 그 안에 거하는 것들도 여호와의 것이라. 2 이는 그분이 바다 위에 그 기초를 놓으셨고 그분이 강들 위에 그것을 세우셨기 때문이라. 3 누가 여호와의 산에 오르며 누가 그분의 거룩한 장소에 서겠느냐? 4 손들이 깨끗하고 마음이 순수하여 곧 자기 영혼으로 가치 없는 것을 사모하지 않으며 속임수로 맹세하지 않는 자라. 5 그는 여호와로부터 복을 받을 것이며 그는 그의 구원의 하나님으로부터 의를 받을 것이라. 6 이들이 그분을 찾는 세대이며 주의 얼굴(들)을 구하는 자들인 야곱이라. 셀라. 7 문들아, 너희 머리들을 들어라. 영원한 문들아, 들려라. 영광의 왕이 들어가실 것이라. 8 누가 이 영광의 왕이시냐? 강력하시고 용사이신 여호와이시다. 전쟁의 용사이시다. 9 문들아, 너희 머리들을 들어라. 영원한 문들아, 들려라. 영광의 왕이 들어가실 것이라. 10 누가 그분이신 이 영광의 왕이시냐? 만군의 여호와이시며 그분은 영광의 왕이시로다. 셀라.

NET

1 A psalm of David. The Lord owns the earth and all it contains, the world and all who live in it. 2 For he set its foundation upon the seas, and established it upon the ocean currents. 3 Who is allowed to ascend the mountain of the Lord? Who may go up to his holy dwelling place? 4 The one whose deeds are blameless and whose motives are pure, who does not lie, or make promises with no intention of keeping them. 5 Such godly people are rewarded by the Lord, and vindicated by the God who delivers them. 6 Such purity characterizes the people who seek his favor, Jacob's descendants, who pray to him. (Selah) 7 Look up, you gates. Rise up, you eternal doors. Then the majestic king will enter. 8 Who is this majestic king? The Lord who is strong and mighty. The Lord who is mighty in battle. 9 Look up, you gates. Rise up, you eternal doors. Then the majestic king will enter. 10 Who is this majestic king? The Lord of Heaven's Armies. He is the majestic king. (Selah)

25 WLC

1 לְדָוִד אֵלֶיךָ יְהוָה נַפְשִׁי אֶשָּׂא׃

2 אֱלֹהַי בְּךָ בָטַחְתִּי אַל־אֵבוֹשָׁה אַל־יַעַלְצוּ אֹיְבַי לִי׃

3 גַּם כָּל־קֹוֶיךָ לֹא יֵבֹשׁוּ יֵבֹשׁוּ הַבּוֹגְדִים רֵיקָם׃

4 דְּרָכֶיךָ יְהוָה הוֹדִיעֵנִי אֹרְחוֹתֶיךָ לַמְּדֵנִי׃

5 הַדְרִיכֵנִי בַאֲמִתֶּךָ ׀ וְלַמְּדֵנִי כִּי־אַתָּה אֱלֹהֵי יִשְׁעִי אוֹתְךָ קִוִּיתִי
כָּל־הַיּוֹם׃

6 זְכֹר־רַחֲמֶיךָ יְהוָה וַחֲסָדֶיךָ כִּי מֵעוֹלָם הֵמָּה׃

7 חַטֹּאות נְעוּרַי ׀ וּפְשָׁעַי אַל־תִּזְכֹּר כְּחַסְדְּךָ זְכָר־לִי־אַתָּה לְמַעַן
טוּבְךָ יְהוָה׃

맛싸성경

1 [다윗의 시] 여호와시여! 내가 주께 내 영혼을 드나이다. 2 나의 하나님이시여! 내가 주를 신뢰하나니 나로 수치를 당하지 않게 하소서. 내 원수들이 나로 기뻐하지 말게 하소서. 3 또한 주를 기다리는 모든 자들로 수치를 당하지 않게 하시고 이유 없이 속이는 자들은 수치를 당하게 하소서. 4 여호와시여! 주의 길들을 나로 알게 하시고 주의 방향을 내게 가르쳐 주소서. 5 주의 진리 안으로 나로 걷게 하시고 나를 가르치시리니 이는 주는 나의 구원의 하나님이심이라. 주만을 나는 온종일 기다리나이다. 6 여호와시여! (저에게 베푸셨던) 주의 긍휼과 주의 인애를 기억하소서. 이것들은 영원 전부터 있었나이다. 7 여호와시여! 내 젊은 시절의 죄와 내 위반을 기억하지 마시고 주의 인애를 따라 주께서 나를 기억하여 주소서. 주의 선함을 위함이나이다.

NET

1 By David. O Lord, I come before you in prayer. 2 My God, I trust in you. Please do not let me be humiliated; do not let my enemies triumphantly rejoice over me. 3 Certainly none who rely on you will be humiliated. Those who deal in treachery will be thwarted and humiliated. 4 Make me understand your ways, O Lord. Teach me your paths. 5 Guide me into your truth and teach me. For you are the God who delivers me; on you I rely all day long. 6 Remember your compassionate and faithful deeds, O Lord, for you have always acted in this manner. 7 Do not hold against me the sins of my youth or my rebellious acts. Because you are faithful to me, extend to me your favor, O Lord.

8 טֽוֹב־וְיָשָׁר יְהוָה עַל־כֵּן יוֹרֶה חַטָּאִים בַּדָּֽרֶךְ׃

9 יַדְרֵךְ עֲנָוִים בַּמִּשְׁפָּט וִילַמֵּד עֲנָוִים דַּרְכּֽוֹ׃

10 כָּל־אָרְחוֹת יְהוָה חֶסֶד וֶאֱמֶת לְנֹצְרֵי בְרִיתוֹ וְעֵדֹתָֽיו׃

11 לְמַֽעַן־שִׁמְךָ יְהוָה וְסָלַחְתָּ לַעֲוֺנִי כִּי רַב־הֽוּא׃

12 מִי־זֶה הָאִישׁ יְרֵא יְהוָה יוֹרֶנּוּ בְּדֶרֶךְ יִבְחָֽר׃

13 נַפְשׁוֹ בְּטוֹב תָּלִין וְזַרְעוֹ יִירַשׁ אָֽרֶץ׃

14 סוֹד יְהוָה לִירֵאָיו וּבְרִיתוֹ לְהוֹדִיעָֽם׃

맛싸성경

8 여호와는 선하시고 올바르시니 그러므로 그분은 죄인들을 길에서 가르치실 것이라. 9 그분은 낮추는 자들을 공평으로 걷게 하시고 그분은 겸손한 자들에게 그분의 길을 가르치실 것이라. 10 모든 여호와의 길은 인애와 진리의 길이니 그의 언약과 그의 증거를 지키는 자들에게라. 11 여호와시여! 주의 이름을 위하여 비록 내 부정이 많아도 용서하여 주소서. 12 누가 여호와를 경외하는 사람이냐? 그가 선택하는 길을 그분이 가르치실 것이라. 13 그의 영혼은 행복하게 지낼 것이며 그의 자손은 땅을 물려받을 것이라. 14 여호와의 비밀이 그를 경외하는 자에게 있으니 그분은 자기의 언약을 그들에게 알게 하실 것이다.

NET

8 The Lord is both kind and fair; that is why he teaches sinners the right way to live. 9 May he show the humble what is right. May he teach the humble his way. 10 The Lord always proves faithful and reliable to those who follow the demands of his covenant. 11 For the sake of your reputation, O Lord, forgive my sin, because it is great. 12 The Lord shows his faithful followers the way they should live. 13 They experience his favor; their descendants inherit the land. 14 The Lord's loyal followers receive his guidance, and he reveals his covenantal demands to them.

25 WLC

15 עֵינַי תָּמִיד אֶל־יְהוָה כִּי הוּא־יוֹצִיא מֵרֶשֶׁת רַגְלָי:

16 פְּנֵה־אֵלַי וְחָנֵּנִי כִּי־יָחִיד וְעָנִי אָנִי:

17 צָרוֹת לְבָבִי הִרְחִיבוּ מִמְּצוּקוֹתַי הוֹצִיאֵנִי:

18 רְאֵה עָנְיִי וַעֲמָלִי וְשָׂא לְכָל־חַטֹּאותָי:

19 רְאֵה־אוֹיְבַי כִּי־רָבּוּ וְשִׂנְאַת חָמָס שְׂנֵאוּנִי:

20 שָׁמְרָה נַפְשִׁי וְהַצִּילֵנִי אַל־אֵבוֹשׁ כִּי־חָסִיתִי בָךְ:

21 תֹּם־וָיֹשֶׁר יִצְּרוּנִי כִּי קִוִּיתִיךָ:

22 פְּדֵה אֱלֹהִים אֶת־יִשְׂרָאֵל מִכֹּל צָרוֹתָיו:

맛싸성경

15 내 눈들은 항상 여호와에게 있으니 이는 주께서 내 발들을 그물에서 나오게 하심이라. 16 내게로 돌리시고 내게 은혜를 베푸소서. 이는 내가 외롭고 비참함이라. 17 내 마음의 근심이 더 많아졌으니 내 고통에서부터 나를 이끌어내소서. 18 내 비천함과 고생을 보소서. 내 모든 죄를 제거하소서. 19 나의 원수들이 많음을 보소서. 그들은 격렬한 미움으로 나를 미워하나이다. 20 내 생명(영혼)을 지키시고 나를 구출하여 주소서. 내가 주께 피하리니 나로 수치를 당하지 않게 하소서. 21 온전함과 올바름으로 나를 보호하소서. 이는 내가 주를 기다렸기 때문이니이다. 22 하나님이시여! 이스라엘을 모든 고통에서 속전하소서.

NET

15 I continually look to the Lord for help, for he will free my feet from the enemy's net. 16 Turn toward me and have mercy on me, for I am alone and oppressed. 17 Deliver me from my distress; rescue me from my suffering. 18 See my pain and suffering. Forgive all my sins. 19 Watch my enemies, for they outnumber me; they hate me and want to harm me. 20 Protect me and deliver me! Please do not let me be humiliated, for I have taken shelter in you. 21 May integrity and godliness protect me, for I rely on you. 22 O God, rescue Israel from all their distress!

26 WLC

1 לְדָוִד ׀ שָׁפְטֵנִי יְהוָה כִּי־אֲנִי בְּתֻמִּי הָלַכְתִּי וּבַיהוָה בָּטַחְתִּי

לֹא אֶמְעָד׃

2 בְּחָנֵנִי יְהוָה וְנַסֵּנִי [צְרוֹפָה כ] (צָרְפָה ק) כִלְיוֹתַי וְלִבִּי׃

3 כִּי־חַסְדְּךָ לְנֶגֶד עֵינָי וְהִתְהַלַּכְתִּי בַּאֲמִתֶּךָ׃

4 לֹא־יָשַׁבְתִּי עִם־מְתֵי־שָׁוְא וְעִם נַעֲלָמִים לֹא אָבוֹא׃

5 שָׂנֵאתִי קְהַל מְרֵעִים וְעִם־רְשָׁעִים לֹא אֵשֵׁב׃

맛싸성경

1 [다윗의 (시)] 여호와시여! 나를 판단하소서. 이는 내가 나의 온전함으로 걸었고 내가 여호와를 신뢰하여 흔들리지 않았음이라. 2 여호와시여! 나를 조사하시고 나를 시험하소서. 내 안(뜻)과 내 마음을 연단하소서. 3 이는 주의 인애가 내 눈(들) 앞에 있사오니 내가 주의 진리 안에서 걸을 것이니이다. 4 나는 거짓된 사람들과 함께 앉지 않으며 숨기는 자들과 함께 가지 않나이다. 5 나는 악을 행하는 자들의 회중을 미워하며 사악한 자들과 함께 앉지 않을 것이니이다.

NET

1 By David. Vindicate me, O Lord, for I have integrity, and I trust in the Lord without wavering. 2 Examine me, O Lord, and test me. Evaluate my inner thoughts and motives. 3 For I am ever aware of your faithfulness, and your loyalty continually motivates me. 4 I do not associate with deceitful men, or consort with those who are dishonest. 5 I hate the mob of evil men, and do not associate with the wicked.

26 WLC

6 אֶרְחַץ בְּנִקָּיוֹן כַּפָּי וַאֲסֹבְבָה אֶת־מִזְבַּחֲךָ יְהוָה׃

7 לַשְׁמִעַ בְּקוֹל תּוֹדָה וּלְסַפֵּר כָּל־נִפְלְאוֹתֶיךָ׃

8 יְהוָה אָהַבְתִּי מְעוֹן בֵּיתֶךָ וּמְקוֹם מִשְׁכַּן כְּבוֹדֶךָ׃

9 אַל־תֶּאֱסֹף עִם־חַטָּאִים נַפְשִׁי וְעִם־אַנְשֵׁי דָמִים חַיָּי׃

10 אֲשֶׁר־בִּידֵיהֶם זִמָּה וִימִינָם מָלְאָה שֹּׁחַד׃

11 וַאֲנִי בְּתֻמִּי אֵלֵךְ פְּדֵנִי וְחָנֵּנִי׃

12 רַגְלִי עָמְדָה בְמִישׁוֹר בְּמַקְהֵלִים אֲבָרֵךְ יְהוָה׃

맛싸성경

6 나는 정결함으로 내 손을 씻고 주의 제단을 돌아다니겠나이다. 여호와시여! 7 찬양의 소리를 들리게 하며 또 주의 모든 놀라운 일들을 선포하겠나이다. 8 여호와시여! 내가 주의 집의 거주지와 주의 거처인 주의 영광의 성막을 사랑하나이다. 9 내 영혼을 죄인들과 함께 또 내 생명을 피 (흘리는) 사람들과 함께 데려가지 마소서. 10 그들의 손에는 악한 계획이 있고 그들의 오른손은 뇌물이 가득하나이다. 11 그러나 나는 (나의) 온전함으로 걸을 것이니 나를 속전하시고 내게 은혜를 베푸소서. 12 내 발은 평평한 땅에 서 있으며 내가 많은 회중들 가운데서 여호와를 송축하리이다.

NET

6 I maintain a pure lifestyle, so I can appear before your altar, O Lord, 7 to give you thanks, and to tell about all your amazing deeds. 8 O Lord, I love the temple where you live, the place where your splendor is revealed. 9 Do not sweep me away with sinners, or execute me along with violent people, 10 who are always ready to do wrong or offer a bribe. 11 But I have integrity. Rescue me and have mercy on me! 12 I am safe, and among the worshipers I will praise the Lord.

27 WLC

1 לְדָוִד ׀ יְהוָה ׀ אוֹרִי וְיִשְׁעִי מִמִּי אִירָא יְהוָה מָעוֹז־חַיַּי מִמִּי אֶפְחָד׃

2 בִּקְרֹב עָלַי ׀ מְרֵעִים לֶאֱכֹל אֶת־בְּשָׂרִי צָרַי וְאֹיְבַי לִי הֵמָּה כָשְׁלוּ וְנָפָלוּ׃

3 אִם־תַּחֲנֶה עָלַי ׀ מַחֲנֶה לֹא־יִירָא לִבִּי אִם־תָּקוּם עָלַי מִלְחָמָה בְּזֹאת אֲנִי בוֹטֵחַ׃

4 אַחַת ׀ שָׁאַלְתִּי מֵאֵת־יְהוָה אוֹתָהּ אֲבַקֵּשׁ שִׁבְתִּי בְּבֵית־יְהוָה כָּל־יְמֵי חַיַּי לַחֲזוֹת בְּנֹעַם־יְהוָה וּלְבַקֵּר בְּהֵיכָלוֹ׃

5 כִּי יִצְפְּנֵנִי ׀ בְּסֻכֹּה בְּיוֹם רָעָה יַסְתִּרֵנִי בְּסֵתֶר אָהֳלוֹ בְּצוּר יְרוֹמְמֵנִי׃

6 וְעַתָּה יָרוּם רֹאשִׁי עַל אֹיְבַי סְבִיבוֹתַי וְאֶזְבְּחָה בְאָהֳלוֹ זִבְחֵי תְרוּעָה אָשִׁירָה וַאֲזַמְּרָה לַיהוָה׃

맛싸성경

1 [다윗의 (시)] 여호와는 나의 빛이요 나의 구원이시니 내가 누구를 두려워하겠느냐? 여호와는 내 생명의 피난처이시니 내가 누구를 겁내겠느냐? 2 악을 행하는 자들이 내 살을 먹으려고 내게 가까이 왔고 내 대적과 내 원수들도 내게 왔을 때 그들은 비틀거리며 넘어졌도다. 3 비록 군대가 나를 대하여 진을 쳐도 내 마음은 두려워하지 않을 것이며 비록 전쟁이 나를 대하여 일어나도 이로 인하여 확신할 것이라. 4 나는 여호와께로부터 요구했던 한 가지 그것을 내가 구할 것이니 내가 내 생명의 모든 날 동안 여호와의 집에 거하는 것이며 여호와의 아름다움을 보는 것과 그분의 성전에서 자세히 찾으려는 것이라. 5 이는 재난의 날에 그분이 나를 그분의 오두막(은신처)에서 숨겨주시고 그분의 천막(장막)의 은밀한 곳에 그분이 나를 숨겨주시며 그분이 나를 반석 위에 높이 두실 것이라. 6 이제 그분이 내 머리를 나를 둘러싸고 있는 내 원수들 위에 높이 올리실 것이니 나는 그분의 천막에서 (기쁨의) 소리의 제물을 드리고 노래하며 내가 여호와를 찬송할 것이라.

NET

1 By David. The Lord is my light and my salvation. I fear no one. The Lord protects my life. I am afraid of no one. 2 When evil men attack me to devour my flesh, when my adversaries and enemies attack me, they stumble and fall. 3 Even when an army is deployed against me, I do not fear. Even when war is imminent, I remain confident. 4 I have asked the Lord for one thing— this is what I desire! I want to live in the Lord's house all the days of my life, so I can gaze at the splendor of the Lord and contemplate in his temple. 5 He will surely give me shelter in the day of danger; he will hide me in his home. He will place me on an inaccessible rocky summit. 6 Now I will triumph over my enemies who surround me. I will offer sacrifices in his dwelling place and shout for joy. I will sing praises to the Lord.

27 WLC

7 שְׁמַע־יְהוָה קוֹלִי אֶקְרָא וְחָנֵּנִי וַעֲנֵנִי:

8 לְךָ ׀ אָמַר לִבִּי בַּקְּשׁוּ פָנָי אֶת־פָּנֶיךָ יְהוָה אֲבַקֵּשׁ:

9 אַל־תַּסְתֵּר פָּנֶיךָ ׀ מִמֶּנִּי אַל־תַּט־בְּאַף עַבְדֶּךָ עֶזְרָתִי הָיִיתָ אַל־תִּטְּשֵׁנִי

וְאַל־תַּעַזְבֵנִי אֱלֹהֵי יִשְׁעִי:

10 כִּי־אָבִי וְאִמִּי עֲזָבוּנִי וַיהוָה יַאַסְפֵנִי:

11 הוֹרֵנִי יְהוָה דַּרְכֶּךָ וּנְחֵנִי בְּאֹרַח מִישׁוֹר לְמַעַן שׁוֹרְרָי:

12 אַל־תִּתְּנֵנִי בְּנֶפֶשׁ צָרָי כִּי קָמוּ־בִי עֵדֵי־שֶׁקֶר וִיפֵחַ חָמָס:

13 לוּלֵא הֶאֱמַנְתִּי לִרְאוֹת בְּטוּב־יְהוָה בְּאֶרֶץ חַיִּים:

14 קַוֵּה אֶל־יְהוָה חֲזַק וְיַאֲמֵץ לִבֶּךָ וְקַוֵּה אֶל־יְהוָה:

맛싸성경

7 여호와시여! 내가 부르짖으니 내 음성을 들으시고 내게 은혜를 베푸시며 내게 응답하옵소서. 8 주께 (당신께) 내 마음이 말하여 "너희들은 내 얼굴을 구하라."고 하셨듯이 여호와시여! 내가 주의 (당신의) 얼굴을 구할 것이라. 9 주의 얼굴을 내게서 숨기지 마시고 주의 종을 진노 중에서 무관심하지 마소서. 주는 내 도움이시나이다. 나를 포기하지 마시고 나를 버리지 마소서. 나의 구원의 하나님이시여! 10 비록 내 아버지와 내 어머니가 나를 버려도 여호와께서는 나를 받아주실 것이라. 11 여호와시여! 주의 길을 가르쳐 주시고 나의 대적들로 인하여 평평한 길로 나를 인도하소서. 12 주께서 나를 내 대적의 소욕으로 넘기지 마소서. 이는 거짓 증인들과 폭력을 내뿜는 자가 나를 대항하여 일어났기 때문이니이다. 13 참으로 나는 산 자들의 땅에서 여호와의 선하심을 볼 것이라고 믿나이다. 14 여호와를 소망하라. 강하고 네 마음을 담대하게 하여 여호와를 소망하라.

NET

7 Hear me, O Lord, when I cry out. Have mercy on me and answer me. 8 My heart tells me to pray to you, and I do pray to you, O Lord. 9 Do not reject me. Do not push your servant away in anger. You are my deliverer. Do not forsake or abandon me, O God who vindicates me. 10 Even if my father and mother abandoned me, the Lord would take me in. 11 Teach me how you want me to live, Lord; lead me along a level path because of those who wait to ambush me. 12 Do not turn me over to my enemies, for false witnesses who want to destroy me testify against me. 13 Where would I be if I did not believe I would experience the Lord's favor in the land of the living? 14 Rely on the Lord! Be strong and confident! Rely on the Lord!

28 WLC

1 לְדָוִד אֵלֶיךָ יְהוָה ׀ אֶקְרָא צוּרִי אַל־תֶּחֱרַשׁ מִמֶּנִּי פֶּן־תֶּחֱשֶׁה מִמֶּנִּי
וְנִמְשַׁלְתִּי עִם־יוֹרְדֵי בוֹר׃
2 שְׁמַע קוֹל תַּחֲנוּנַי בְּשַׁוְּעִי אֵלֶיךָ בְּנָשְׂאִי יָדַי אֶל־דְּבִיר קָדְשֶׁךָ׃
3 אַל־תִּמְשְׁכֵנִי עִם־רְשָׁעִים וְעִם־פֹּעֲלֵי אָוֶן דֹּבְרֵי שָׁלוֹם עִם־רֵעֵיהֶם
וְרָעָה בִּלְבָבָם׃
4 תֶּן־לָהֶם כְּפָעֳלָם וּכְרֹעַ מַעַלְלֵיהֶם כְּמַעֲשֵׂה יְדֵיהֶם תֵּן לָהֶם הָשֵׁב
גְּמוּלָם לָהֶם׃
5 כִּי לֹא יָבִינוּ אֶל־פְּעֻלֹּת יְהוָה וְאֶל־מַעֲשֵׂה יָדָיו יֶהֶרְסֵם וְלֹא יִבְנֵם׃

맛싸성경

1 [다윗의 (시)] 여호와시여! 내가 주께 부르짖나이다. 나의 반석이시여! 내게서 귀를 닫지 마소서. 만일 주께서 내게 침묵하시면 내가 구덩이로 내려가는 자와 같을까 하나이다. 2 내가 주께 도움을 구할 때 내 간청하는 음성을 들으소서. 주의 성소의 내부 거룩한 곳을 향해 내가 나의 손들을 들어 올릴 때이니이다. 3 나를 악인들과 함께 그리고 사악을 행하는 자들과 함께 데려가지 마소서. 그들은 이웃과 화평의 말들은 하는 자이나 그들의 마음에는 악이 있나이다. 4 그들의 행위대로 또 그들의 행동의 악대로 그들에게 주소서(갚으소서). 그들의 손들이 행한 것대로 그들에게 주시며 그들의 보응을 그들에게 돌리소서. 5 이는 여호와의 행하심과 그분의 손으로 만든 것에 대해서 그들이 주의를 기울이지 않기 때문에 그분께서 그들을 파괴하셔서 그들을 (다시) 건설하지 않을 것이라.

NET

1 By David. To you, O Lord, I cry out! My Protector, do not ignore me. If you do not respond to me, I will join those who are descending into the grave. 2 Hear my plea for mercy when I cry out to you for help, when I lift my hands toward your holy temple. 3 Do not drag me away with evil men, with those who behave wickedly, who talk so friendly to their neighbors, while they plan to harm them. 4 Pay them back for their evil deeds. Pay them back for what they do. Punish them. 5 For they do not understand the Lord's actions, or the way he carries out justice. The Lord will permanently demolish them.

28 WLC

6 בָּרוּךְ יְהוָה כִּי־שָׁמַע קוֹל תַּחֲנוּנָי:

7 יְהוָה ׀ עֻזִּי וּמָגִנִּי בּוֹ בָטַח לִבִּי וְנֶעֱזָרְתִּי וַיַּעֲלֹז לִבִּי וּמִשִּׁירִי אֲהוֹדֶנּוּ:

8 יְהוָה עֹז־לָמוֹ וּמָעוֹז יְשׁוּעוֹת מְשִׁיחוֹ הוּא:

9 הוֹשִׁיעָה ׀ אֶת־עַמֶּךָ וּבָרֵךְ אֶת־נַחֲלָתֶךָ וּרְעֵם וְנַשְּׂאֵם עַד־הָעוֹלָם:

맛싸성경

6 여호와를 송축하라. 이는 그분께서 내 간청하는 소리를 들으셨음이라. 7 여호와는 나의 힘이시며 나의 방패이시니 내 마음이 그분을 신뢰하여 내가 도움을 받았으며 내 마음이 크게 기뻤도다. 내 노래로 그분을 찬양할 것이라. 8 여호와는 그(백성)들을 위한 힘이시며 그분은 그분의 기름 부음 받은 자에게 구원의 요새이시다. 9 주의 백성을 구원하시고 주의 상속지(상속받을 땅)에 복을 주소서. 그들의 목자가 되셔서 그들을 영원히 올려주소서(이끄소서).

NET

6 The Lord deserves praise, for he has heard my plea for mercy. 7 The Lord strengthens and protects me; I trust in him with all my heart. I am rescued and my heart is full of joy; I will sing to him in gratitude. 8 The Lord strengthens his people; he protects and delivers his chosen king. 9 Deliver your people. Empower the nation that belongs to you. Care for them like a shepherd and carry them in your arms at all times!

29 WLC

1 מִזְמוֹר לְדָוִד הָבוּ לַיהוָה בְּנֵי אֵלִים הָבוּ לַיהוָה כָּבוֹד וָעֹז׃

2 הָבוּ לַיהוָה כְּבוֹד שְׁמוֹ הִשְׁתַּחֲווּ לַיהוָה בְּהַדְרַת־קֹדֶשׁ׃

3 קוֹל יְהוָה עַל־הַמָּיִם אֵל־הַכָּבוֹד הִרְעִים יְהוָה עַל־מַיִם רַבִּים׃

4 קוֹל־יְהוָה בַּכֹּחַ קוֹל יְהוָה בֶּהָדָר׃

5 קוֹל יְהוָה שֹׁבֵר אֲרָזִים וַיְשַׁבֵּר יְהוָה אֶת־אַרְזֵי הַלְּבָנוֹן׃

6 וַיַּרְקִידֵם כְּמוֹ־עֵגֶל לְבָנוֹן וְשִׂרְיֹן כְּמוֹ בֶן־רְאֵמִים׃

맛싸성경

1 [다윗의 시] 여호와께 돌려라. 힘 있는 자들의 아들들아. 영광과 힘을 여호와께 돌려라. 2 그분의 이름의 영광을 여호와께 돌려라. 거룩한 장식으로(옷을 입고) 여호와께 경배하여라. 3 여호와의 음성은 물(들) 위에 있고 영광의 하나님이 천둥을 치게 하시며 여호와는 많은 물(들) 위에 계시도다. 4 여호와의 음성이 능력 가운데 있고 여호와의 음성은 위엄 중에 있도다. 5 여호와의 음성은 삼목들을 자르시고 여호와는 레바논의 삼목들을 자르셨도다. 6 그분은 레바논으로 송아지같이 시룐을 들소같이 뛰어다니게 하시도다.

NET

1 A psalm of David. Acknowledge the Lord, you heavenly beings, acknowledge the Lord's majesty and power. 2 Acknowledge the majesty of the Lord's reputation. Worship the Lord in holy attire. 3 The Lord's shout is heard over the water; the majestic God thunders, the Lord appears over the surging water. 4 The Lord's shout is powerful; the Lord's shout is majestic. 5 The Lord's shout breaks the cedars; the Lord shatters the cedars of Lebanon. 6 He makes them skip like a calf, Lebanon and Sirion like a young ox.

29 WLC

7 קוֹל־יְהוָה חֹצֵב לַהֲבוֹת אֵשׁ׃

8 קוֹל יְהוָה יָחִיל מִדְבָּר יָחִיל יְהוָה מִדְבַּר קָדֵשׁ׃

9 קוֹל יְהוָה ׀ יְחוֹלֵל אַיָּלוֹת וַיֶּחֱשֹׂף יְעָרוֹת וּבְהֵיכָלוֹ כֻּלּוֹ אֹמֵר כָּבוֹד׃

10 יְהוָה לַמַּבּוּל יָשָׁב וַיֵּשֶׁב יְהוָה מֶלֶךְ לְעוֹלָם׃

11 יְהוָה עֹז לְעַמּוֹ יִתֵּן יְהוָה ׀ יְבָרֵךְ אֶת־עַמּוֹ בַשָּׁלוֹם׃

맛싸성경

7 여호와의 음성이 불의 불길을 가르시도다. 8 여호와의 음성이 광야를 진동하게 하시고 여호와는 가데스의 광야를 진동하게 하시도다. 9 여호와의 음성이 새끼 사슴들을 낳게 하시고 그것이 숲을 벌거벗게 하시며 그의 성전에서 그 모든 자들은 '영광'이라고 말하도다. 10 여호와는 홍수위에 앉아 계시고 여호와는 영원한 왕으로 앉아 계시도다. 11 여호와는 그의 백성에게 힘을 주시고 여호와는 그의 백성을 평안으로 복 주실 것이라.

NET

7 The Lord's shout strikes with flaming fire. 8 The Lord's shout shakes the wilderness; the Lord shakes the wilderness of Kadesh. 9 The Lord's shout bends the large trees and strips the leaves from the forests. Everyone in his temple says, "Majestic!" 10 The Lord sits enthroned over the engulfing waters; the Lord sits enthroned as the eternal king. 11 The Lord gives his people strength; the Lord grants his people security.

30 WLC

1 מִזְמוֹר שִׁיר־חֲנֻכַּת הַבַּיִת לְדָוִד:

2 אֲרוֹמִמְךָ יְהוָה כִּי דִלִּיתָנִי וְלֹא־שִׂמַּחְתָּ אֹיְבַי לִי:

3 יְהוָה אֱלֹהָי שִׁוַּעְתִּי אֵלֶיךָ וַתִּרְפָּאֵנִי:

4 יְהוָה הֶעֱלִיתָ מִן־שְׁאוֹל נַפְשִׁי חִיִּיתַנִי [מִיּוֹרְדֵי כ] (מִיָּרְדִי ק) בוֹר:

5 זַמְּרוּ לַיהוָה חֲסִידָיו וְהוֹדוּ לְזֵכֶר קָדְשׁוֹ:

6 כִּי רֶגַע בְּאַפּוֹ חַיִּים בִּרְצוֹנוֹ בָּעֶרֶב יָלִין בֶּכִי וְלַבֹּקֶר רִנָּה:

7 וַאֲנִי אָמַרְתִּי בְשַׁלְוִי בַּל־אֶמּוֹט לְעוֹלָם:

맛싸성경

(히, 30:1) [다윗의 시. 성전 봉헌 노래] 1(2) 여호와시여! 내가 주를 높이나이다. 이는 주께서 나를 건져주셨으며 주께서 내 원수들로 나에 대해 기뻐하지 않게 하셨기 때문이니이다. 2(3) 여호와 나의 하나님이시여! 내가 주께 도움을 구하였더니 주께서 나를 치료하셨나이다. 3(4) 여호와시여! 주께서 내 영혼을 셰올에서부터 올리셔서 주께서 나를 구덩이로 내려가는 것에서부터 살리셨나이다. 4(5) 여호와께 노래하라. (너희) 그분의 신실한 자(성도, 경건한 자)들아. 그분의 거룩한 이름을 기억하고 그분을 찬양하라(감사하라). 5(6) 이는 그의 노하심은 잠깐이요 그분의 은혜는 평생이라. 저녁에 눈물이 머물러 있어도 아침에는 기쁨이 있으리로다. 6(7) 내가 평안할 때 "나는 영원히 흔들리지 않을 것이라."고 말하였도다.

NET

1(H 30:1) A psalm, a song used at the dedication of the temple; by David. (2) I will praise you, O Lord, for you lifted me up and did not allow my enemies to gloat over me. 2(3) O Lord my God, I cried out to you and you healed me. 3(4) O Lord, you pulled me up from Sheol; you rescued me from among those descending into the grave. 4(5) Sing to the Lord, you faithful followers of his; give thanks to his holy name. 5(6) For his anger lasts only a brief moment, and his good favor restores one's life. One may experience sorrow during the night, but joy arrives in the morning. 6(7) In my self-confidence I said, "I will never be shaken."

30 WLC

8 יְהוָה בִּרְצוֹנְךָ הֶעֱמַדְתָּה לְהַרְרִי עֹז הִסְתַּרְתָּ פָנֶיךָ הָיִיתִי נִבְהָל׃

9 אֵלֶיךָ יְהוָה אֶקְרָא וְאֶל־אֲדֹנָי אֶתְחַנָּן׃

10 מַה־בֶּצַע בְּדָמִי בְּרִדְתִּי אֶל־שָׁחַת הֲיוֹדְךָ עָפָר הֲיַגִּיד אֲמִתֶּךָ׃

11 שְׁמַע־יְהוָה וְחָנֵּנִי יְהוָה הֱיֵה־עֹזֵר לִי׃

12 הָפַכְתָּ מִסְפְּדִי לְמָחוֹל לִי פִּתַּחְתָּ שַׂקִּי וַתְּאַזְּרֵנִי שִׂמְחָה׃

13 לְמַעַן ׀ יְזַמֶּרְךָ כָבוֹד וְלֹא יִדֹּם יְהוָה אֱלֹהַי לְעוֹלָם אוֹדֶךָּ׃

맛싸성경

7(히, 30:8) 여호와시여! 주의 은혜로 내 산을 굳게 세우셨으나 주께서 주의 얼굴을 숨기실 때 내가 두려워했나이다. **8(9)** 여호와시여! 내가 주께 부르짖고 내가 은혜를 구하나이다. **9(10)** "내가 무덤으로 내려갈 때 내 피에 어떤 유익이 있나이까? 먼지가 주를 찬양하며 그것이 주의 진리를 말하겠나이까? **10(11)** 들으소서. 여호와시여! 내게 은혜를 베푸소서. 여호와시여! 나를 돕는 자가 되소서." **11(12)** 주께서 내 통곡을 바꾸어 춤이 되게 하시고 내 베옷을 벗겨 기쁨으로 두르게 하셨사오니 **12(13)** 그리하여 (내) 영광이 주를 노래하고 잠잠히 있지 않으리이다. 나의 하나님 여호와시여! 내가 주를 영원히 찬양하리이다.

NET

7(H 30:8) O Lord, in your good favor you made me secure. Then you rejected me and I was terrified. **8(9)** To you, O Lord, I cried out; I begged the Lord for mercy: **9(10)** "What profit is there in taking my life, in my descending into the Pit? Can the dust of the grave praise you? Can it declare your loyalty? **10(11)** Hear, O Lord, and have mercy on me. O Lord, deliver me." **11(12)** Then you turned my lament into dancing; you removed my sackcloth and covered me with joy. **12(13)** So now my heart will sing to you and not be silent; O Lord my God, I will always give thanks to you.

31 WLC

1 לַמְנַצֵּחַ מִזְמוֹר לְדָוִד׃

2 בְּךָ יְהוָה חָסִיתִי אַל־אֵבוֹשָׁה לְעוֹלָם בְּצִדְקָתְךָ פַלְּטֵנִי׃

3 הַטֵּה אֵלַי ׀ אָזְנְךָ מְהֵרָה הַצִּילֵנִי הֱיֵה לִי ׀ לְצוּר־מָעוֹז לְבֵית
מְצוּדוֹת לְהוֹשִׁיעֵנִי׃

4 כִּי־סַלְעִי וּמְצוּדָתִי אָתָּה וּלְמַעַן שִׁמְךָ תַּנְחֵנִי וּתְנַהֲלֵנִי׃

5 תּוֹצִיאֵנִי מֵרֶשֶׁת זוּ טָמְנוּ לִי כִּי־אַתָּה מָעוּזִּי׃

6 בְּיָדְךָ אַפְקִיד רוּחִי פָּדִיתָה אוֹתִי יְהוָה אֵל אֱמֶת׃

맛싸성경

(히, 31:1) [지휘자를 위한 다윗의 시] **1(2)** 여호와시여! 내가 주 안에 피하오니 나로 영원히 창피를 당하지 않게 하시며 주의 의로움으로 나를 구하소서. **2(3)** 주의 귀를 나에게로 향하시며 속히 나를 구출해 주소서. 주는 내게 피난처의 바위가 되시며 나의 구원을 위한 요새의 집이 되소서. **3(4)** 이는 주는 내 반석이시고 내 요새이시니 주의 이름을 위해서 나를 인도하시며 나를 호위하여 주소서. **4(5)** 그들이 나를 위해서 숨겨 놓은 그물에서부터 주는 나를 이끌어 내소서. 이는 주는 나의 피난처이심이니이다. **5(6)** 주의 손에 내 영혼을 위탁하나이다. 진리의 하나님 여호와께서 나를 속전하셨나이다.

NET

1(H 31:1) For the music director, a psalm of David. **(2)** In you, O Lord, I have taken shelter. Never let me be humiliated. Vindicate me by rescuing me. **2(3)** Listen to me. Quickly deliver me. Be my protector and refuge, a stronghold where I can be safe. **3(4)** For you are my high ridge and my stronghold; for the sake of your own reputation you lead me and guide me. **4(5)** You will free me from the net they hid for me, for you are my place of refuge. **5(6)** Into your hand I entrust my life; you will rescue me, O Lord, the faithful God.

7 שָׂנֵאתִי הַשֹּׁמְרִים הַבְלֵי־שָׁוְא וַאֲנִי אֶל־יְהוָה בָּטָחְתִּי׃

8 אָגִילָה וְאֶשְׂמְחָה בְּחַסְדֶּךָ אֲשֶׁר רָאִיתָ אֶת־עָנְיִי יָדַעְתָּ בְּצָרוֹת נַפְשִׁי׃

9 וְלֹא הִסְגַּרְתַּנִי בְּיַד־אוֹיֵב הֶעֱמַדְתָּ בַמֶּרְחָב רַגְלָי׃

10 חָנֵּנִי יְהוָה כִּי צַר־לִי עָשְׁשָׁה בְכַעַס עֵינִי נַפְשִׁי וּבִטְנִי׃

11 כִּי כָלוּ בְיָגוֹן חַיַּי וּשְׁנוֹתַי בַּאֲנָחָה כָּשַׁל בַּעֲוֺנִי כֹחִי וַעֲצָמַי עָשֵׁשׁוּ׃

12 מִכָּל־צֹרְרַי הָיִיתִי חֶרְפָּה וְלִשְׁכֵנַי ׀ מְאֹד וּפַחַד לִמְיֻדָּעָי רֹאַי בַּחוּץ
נָדְדוּ מִמֶּנִּי׃

13 נִשְׁכַּחְתִּי כְּמֵת מִלֵּב הָיִיתִי כִּכְלִי אֹבֵד׃

맛싸성경

6(히, 31:7) 나는 무가치한 우상들을 붙드는 자들을 미워하였으며 나는 여호와를 신뢰하였나이다. **7(8)** 내가 주의 인애함을 기뻐하고 즐거워하리니 이는 주께서 내 비참함을 보셨으며 곤란 중에 있는 내 영혼을 주께서 아셨나이다. **8(9)** 주께서 나를 원수의 손으로 넘기시지 않았으며 나의 발을 넓은 곳에 세우셨나이다. **9(10)** 여호와시여! 내게 은혜를 베푸소서. 이는 내가 고통 중에 있으며 내 눈과 내 영혼과 내 배(몸)이 괴로움으로 쇠약해졌음이니이다. **10(11)** 이는 내 생명은 슬픔으로 내 연수들은 탄식으로 소비하며 내 힘은 내 부정으로 비틀거리며 내 뼈들은 쇠약해졌음이니이다. **11(12)** 내 모든 대적들로부터 나는 모욕거리가 되었으며 나의 이웃들에게 매우 당하나이다. 나는 나를 아는 자들에게 공포가 되었으니 그들이 길에서 나를 보고 내게서 피하나이다. **12(13)** 나는 죽은 자같이 마음에서 잊혔으며 깨진 토기같이 되었나이다.

NET

6(H 31:7) I hate those who serve worthless idols, but I trust in the Lord. **7(8)** I will be happy and rejoice in your faithfulness, because you notice my pain and you are aware of how distressed I am. **8(9)** You do not deliver me over to the power of the enemy; you enable me to stand in a wide open place. **9(10)** Have mercy on me, Lord, for I am in distress! My eyes grow dim from suffering. I have lost my strength. **10(11)** For my life nears its end in pain; my years draw to a close as I groan. My strength fails me because of my sin, and my bones become brittle. **11(12)** Because of all my enemies, people disdain me; my neighbors are appalled by my suffering—those who know me are horrified by my condition; those who see me in the street run away from me. **12(13)** I am forgotten, like a dead man no one thinks about; I am regarded as worthless, like a broken jar.

31 WLC

14 כִּי שָׁמַעְתִּי ׀ דִּבַּת רַבִּים מָגוֹר מִסָּבִיב בְּהִוָּסְדָם יַחַד עָלַי לָקַחַת
נַפְשִׁי זָמָמוּ׃

15 וַאֲנִי ׀ עָלֶיךָ בָטַחְתִּי יְהוָה אָמַרְתִּי אֱלֹהַי אָתָּה׃

16 בְּיָדְךָ עִתֹּתָי הַצִּילֵנִי מִיַּד־אוֹיְבַי וּמֵרֹדְפָי׃

17 הָאִירָה פָנֶיךָ עַל־עַבְדֶּךָ הוֹשִׁיעֵנִי בְחַסְדֶּךָ׃

18 יְהוָה אַל־אֵבוֹשָׁה כִּי קְרָאתִיךָ יֵבֹשׁוּ רְשָׁעִים יִדְּמוּ לִשְׁאוֹל׃

19 תֵּאָלַמְנָה שִׂפְתֵי שָׁקֶר הַדֹּבְרוֹת עַל־צַדִּיק עָתָק בְּגַאֲוָה וָבוּז׃

20 מָה רַב־טוּבְךָ אֲשֶׁר־צָפַנְתָּ לִּירֵאֶיךָ פָּעַלְתָּ לַחֹסִים בָּךְ נֶגֶד בְּנֵי אָדָם׃

맛싸성경

13(히, 31:14) 이는 내가 많은 자의 비방을 들을 때 사방에서 공포가 있으며 그들이 나에 대하여 함께 공모할 때 내 영혼을 취하려고 악한 계획을 하나이다. **14(15)** 그러나 나는 주를 신뢰하나이다. 여호와시여! '주는 내 하나님이시라.'고 나는 말하나이다. **15(16)** 주의 손안에 내 때가 있나이다. 나를 내 원수들과 나를 추격하는 자들의 손으로부터 구출하소서. **16(17)** 주의 얼굴을 주의 종에게 비추시며 주의 인애로 나를 구원하소서. **17(18)** 여호와시여! 내가 주께 부르짖고 있으니 나로 수치를 당하지 않게 하소서. 사악한 자들로 수치를 당하게 하시며 셰올에서 그들로 통곡하게 하소서. **18(19)** 의로운 자에 대항하여 건방짐과 오만함으로 말하는 거짓 입술들이 벙어리가 되게 하소서. **19(20)** 주께서 주를 경외하는 자들을 위해서 쌓아두셨고 주께 피하는 자에게 행하신 주의 선하심이 얼마나 크신지요. (이들은) 사람의 아들들 앞에 있는 자들이니이다.

NET

13(H 31:14) For I hear what so many are saying, the terrifying news that comes from every direction. When they plot together against me, they figure out how they can take my life. **14(15)** But I trust in you, O Lord! I declare, "You are my God!" **15(16)** You determine my destiny. Rescue me from the power of my enemies and those who chase me. **16(17)** Smile on your servant. Deliver me because of your faithfulness. **17(18)** O Lord, do not let me be humiliated, for I call out to you. May evil men be humiliated. May they go wailing to the grave. **18(19)** May lying lips be silenced— lips that speak defiantly against the innocent with arrogance and contempt. **19(20)** How great is your favor, which you store up for your loyal followers. In plain sight of everyone you bestow it on those who take shelter in you.

21 תַּסְתִּירֵ֤ם ׀ בְּסֵ֥תֶר פָּנֶיךָ֮ מֵרֻכְסֵ֫י אִ֥ישׁ תִּצְפְּנֵ֥ם בְּסֻכָּ֗ה מֵרִ֥יב לְשֹׁנֽוֹת׃

22 בָּר֥וּךְ יְהוָ֑ה כִּ֥י הִפְלִ֘יא חַסְדּ֥וֹ לִ֝י בְּעִ֣יר מָצֽוֹר׃

23 וַאֲנִ֤י ׀ אָ֘מַ֤רְתִּי בְחָפְזִ֗י נִגְרַזְתִּי֮ מִנֶּ֪גֶד עֵ֫ינֶ֥יךָ אָכֵ֗ן שָׁ֭מַעְתָּ ק֤וֹל תַּחֲנוּנַ֗י
בְּשַׁוְּעִ֥י אֵלֶֽיךָ׃

24 אֶֽהֱב֥וּ אֶת־יְהוָ֗ה כָּֽל־חֲסִ֫ידָ֥יו אֱ֭מוּנִים נֹצֵ֣ר יְהוָ֑ה וּמְשַׁלֵּ֥ם עַל־יֶ֝֗תֶר
עֹשֵׂ֥ה גַאֲוָֽה׃

25 חִ֭זְקוּ וְיַאֲמֵ֣ץ לְבַבְכֶ֑ם כָּל־הַ֝מְיַחֲלִ֗ים לַיהוָֽה׃

맛싸성경

20(히, 31:21) 주께서 그들을 숨기실 것이니 사람의 중상모략에서부터 주의 얼굴의 비밀스러운 곳이며 주께서 그들을 숨기시리니 혀들의 싸움에서부터 주의 장막이니이다. **21(22)** 여호와를 송축하라. 이는 주께서 내게 둘러싼 도시에서 그분의 인애를 놀랍게 행하셨기 때문이라. **22(23)** 내가 서둘러 말하기를 "내가 주의 눈앞에서부터 잘렸다(끊어졌다)." 그럼에도 내가 주께 부르짖을 때 주께서 나의 도움을 청하는 목소리를 들으셨도다. **23(24)** 여호와를 사랑하라. 그의 모든 성도들이여. 여호와는 신실한 자들을 지켜주시나 오만함으로 행하는 자는 충분히(엄하게) 갚아주신다. **24(25)** 강하고 네 마음을 담대하게 하여라. 여호와를 기다리는 (너희) 모든 자들이여.

NET

20(H 31:21) You hide them with you, where they are safe from the attacks of men; you conceal them in a shelter, where they are safe from slanderous attacks. **21(22)** The Lord deserves praise for he demonstrated his amazing faithfulness to me when I was besieged by enemies. **22(23)** I jumped to conclusions and said, "I am cut off from your presence!" But you heard my plea for mercy when I cried out to you for help. **23(24)** Love the Lord, all you faithful followers of his! The Lord protects those who have integrity, but he pays back in full the one who acts arrogantly. **24(25)** Be strong and confident, all you who wait on the Lord.

32 WLC

1 לְדָוִד מַשְׂכִּיל אַשְׁרֵי נְשׂוּי־פֶּשַׁע כְּסוּי חֲטָאָה׃

2 אַשְׁרֵי אָדָם לֹא יַחְשֹׁב יְהוָה לוֹ עָוֺן וְאֵין בְּרוּחוֹ רְמִיָּה׃

3 כִּי־הֶחֱרַשְׁתִּי בָּלוּ עֲצָמָי בְּשַׁאֲגָתִי כָּל־הַיּוֹם׃

4 כִּי ׀ יוֹמָם וָלַיְלָה תִּכְבַּד עָלַי יָדֶךָ נֶהְפַּךְ לְשַׁדִּי בְּחַרְבֹנֵי קַיִץ סֶלָה׃

5 חַטָּאתִי אוֹדִיעֲךָ וַעֲוֺנִי לֹא־כִסִּיתִי אָמַרְתִּי אוֹדֶה עֲלֵי פְשָׁעַי לַיהוָה

וְאַתָּה נָשָׂאתָ עֲוֺן חַטָּאתִי סֶלָה׃

맛싸성경

1 [다윗의 시 마스길] 복 있는 자는 위반이 제거되고 죄가 용서된 자로다. 2 복 있는 자는 여호와께서 그에게 부정 있다고 생각하지 않는 자이며 그의 영(마음)에 속이는 것이 없는 자로다. 3 내가 조용히 있을 때 하루 종일 나의 신음 소리로 내 뼈들이 닳아빠졌도다. 4 이는 낮과 밤으로 주의 손이 나를 무겁게 누르기 때문이라. 체액이 여름 열기로 변하나이다. 쎌라. 5 내가 내 죄를 주께 알게 하고 내 부정을 숨기지 않으며 " 내 범죄에 대해서 여호와께 고백하겠다."고 말하였더니 곧 주께서 내 죄의 죄책을 제거하셨나이다. 쎌라.

NET

1 By David; a well-written song. How blessed is the one whose rebellious acts are forgiven, whose sin is pardoned. 2 How blessed is the one whose wrongdoing the Lord does not punish, in whose spirit there is no deceit. 3 When I refused to confess my sin, my whole body wasted away, while I groaned in pain all day long. 4 For day and night you tormented me; you tried to destroy me in the intense heat of summer. (Selah) 5 Then I confessed my sin; I no longer covered up my wrongdoing. I said, "I will confess my rebellious acts to the Lord." And then you forgave my sins. (Selah)

32 WLC

6 עַל־זֹאת יִתְפַּלֵּל כָּל־חָסִיד ׀ אֵלֶיךָ לְעֵת מְצֹא רַק לְשֵׁטֶף מַיִם רַבִּים אֵלָיו לֹא יַגִּיעוּ׃

7 אַתָּה ׀ סֵתֶר לִי מִצַּר תִּצְּרֵנִי רָנֵּי פַלֵּט תְּסוֹבְבֵנִי סֶלָה׃

8 אַשְׂכִּילְךָ ׀ וְאוֹרְךָ בְּדֶרֶךְ־זוּ תֵלֵךְ אִיעֲצָה עָלֶיךָ עֵינִי׃

9 אַל־תִּהְיוּ ׀ כְּסוּס כְּפֶרֶד אֵין הָבִין בְּמֶתֶג־וָרֶסֶן עֶדְיוֹ לִבְלוֹם בַּל קְרֹב אֵלֶיךָ׃

10 רַבִּים מַכְאוֹבִים לָרָשָׁע וְהַבּוֹטֵחַ בַּיהוָה חֶסֶד יְסוֹבְבֶנּוּ׃

11 שִׂמְחוּ בַיהוָה וְגִילוּ צַדִּיקִים וְהַרְנִינוּ כָּל־יִשְׁרֵי־לֵב׃

맛싸성경

6 이로 인하여 모든 경건한 자(신실한 자, 성도)는 (죄가) 발견되었을 때에 주께 기도할 것이라. 참으로 홍수의 많은 물들도 그에게 미치지 않을 것이라. 7 주는 나에게 보호자이시니 속박(고통)에서 나를 보호하시고 구원의 큰 노래들로 나를 둘러싸 주시나이다. 쎌라. 8 나는 네가 가야 할 길에 관해서 이해하게 하고 너를 가르칠 것이라. (나는 네게) 조언을 해주며 내 눈이 네 위에 있을 것이라. 9 너희들은 이해력이 없는 말이나 노새같이 되지 마라. 그 장식인 굴레나 고삐로 제어하지 않으면 그것들은 네게로 가까이 오지 않을 것이라. 10 사악한 자에게는 많은 고통이 있으나 여호와를 신뢰하는 자는 인애가 그를 둘러싸고 있도다. 11 여호와를 기뻐하며 즐거워하여라. 의인들아. 마음이 올바른 모든 자들아, 기쁘게 소리쳐라.

NET

6 For this reason every one of your faithful followers should pray to you while there is a window of opportunity. Certainly when the surging water rises, it will not reach them. 7 You are my hiding place; you protect me from distress. You surround me with shouts of joy from those celebrating deliverance. (Selah) 8 I will instruct and teach you about how you should live. I will advise you as I look you in the eye. 9 Do not be like an unintelligent horse or mule, which will not obey you unless they are controlled by a bridle and bit. 10 An evil person suffers much pain, but the Lord's faithfulness overwhelms the one who trusts in him. 11 Rejoice in the Lord and be happy, you who are godly! Shout for joy, all you who are morally upright!

33 WLC

1 רַנְּנוּ צַדִּיקִים בַּיהוָה לַיְשָׁרִים נָאוָה תְהִלָּה׃

2 הוֹדוּ לַיהוָה בְּכִנּוֹר בְּנֵבֶל עָשׂוֹר זַמְּרוּ־לוֹ׃

3 שִׁירוּ־לוֹ שִׁיר חָדָשׁ הֵיטִיבוּ נַגֵּן בִּתְרוּעָה׃

4 כִּי־יָשָׁר דְּבַר־יְהוָה וְכָל־מַעֲשֵׂהוּ בֶּאֱמוּנָה׃

5 אֹהֵב צְדָקָה וּמִשְׁפָּט חֶסֶד יְהוָה מָלְאָה הָאָרֶץ׃

6 בִּדְבַר יְהוָה שָׁמַיִם נַעֲשׂוּ וּבְרוּחַ פִּיו כָּל־צְבָאָם׃

7 כֹּנֵס כַּנֵּד מֵי הַיָּם נֹתֵן בְּאֹצָרוֹת תְּהוֹמוֹת׃

8 יִירְאוּ מֵיְהוָה כָּל־הָאָרֶץ מִמֶּנּוּ יָגוּרוּ כָּל־יֹשְׁבֵי תֵבֵל׃

맛싸성경

1 의인들아, 여호와 안에서 기뻐 노래하라. 올바른 자
들에게 찬양은 합당하도다. 2 킨노르(수금)로 여호와
께 노래하고(감사하고) 10 줄 네벨(하프)로 그분께 찬
송하여라. 3 새 노래로 그분께 노래하고 큰 소리로 현
악으로 연주하여라. 4 이는 여호와의 말씀은 옳으며
그분의 모든 일은 신실함으로 하심이라. 5 그분은 의
와 공의를 사랑하시며 땅은 여호와의 인애로 충만하
도다. 6 여호와의 말씀으로 하늘(들)은 만들어졌고 거
기 있는 천체는 그분의 입의 호흡으로 만들어졌도다.
7 그분은 바다의 물들을 물더미같이 모으시고 깊음(깊
은 물)들을 창고에 두시도다. 8 땅의 모든 것아, 여호
와를 경외하여라. 세상 거기서 거하는 모든 자야, 그
분을 두려워하여라.

NET

1 You godly ones, shout for joy because of the Lord!
It is appropriate for the morally upright to offer him
praise. 2 Give thanks to the Lord with the harp. Sing
to him to the accompaniment of a ten-stringed
instrument. 3 Sing to him a new song. Play skillfully
as you shout out your praises to him. 4 For the
Lord's decrees are just, and everything he does is
fair. 5 He promotes equity and justice; the Lord's
faithfulness extends throughout the earth. 6 By the
Lord's decree the heavens were made, and by the
breath of his mouth all the starry hosts. 7 He piles
up the water of the sea; he puts the oceans in
storehouses. 8 Let the whole earth fear the Lord. Let
all who live in the world stand in awe of him.

33 WLC

9 כִּי הוּא אָמַר וַיֶּהִי הוּא־צִוָּה וַיַּעֲמֹד׃

10 יְהוָה הֵפִיר עֲצַת־גּוֹיִם הֵנִיא מַחְשְׁבוֹת עַמִּים׃

11 עֲצַת יְהוָה לְעוֹלָם תַּעֲמֹד מַחְשְׁבוֹת לִבּוֹ לְדֹר וָדֹר׃

12 אַשְׁרֵי הַגּוֹי אֲשֶׁר־יְהוָה אֱלֹהָיו הָעָם ׀ בָּחַר לְנַחֲלָה לוֹ׃

13 מִשָּׁמַיִם הִבִּיט יְהוָה רָאָה אֶת־כָּל־בְּנֵי הָאָדָם׃

14 מִמְּכוֹן־שִׁבְתּוֹ הִשְׁגִּיחַ אֶל כָּל־יֹשְׁבֵי הָאָרֶץ׃

15 הַיֹּצֵר יַחַד לִבָּם הַמֵּבִין אֶל־כָּל־מַעֲשֵׂיהֶם׃

맛싸성경

9 그분이 말씀하시니 그것이 이루어졌으며 그분이 명령하시니 그것은 굳게 서도다. 10 여호와는 민족들의 계획을 꺾으시고 백성들의 생각을 좌절시키시도다. 11 여호와의 계획은 영원히 서고 그분의 마음의 생각들은 대대로 이르도다. 12 복 있는 나라는 그의 하나님이 여호와이시고 (복 있는) 백성은 하나님이 자신을 위하여 유산으로 선택하신 자로다. 13 여호와는 하늘에서부터 쳐다보시고 모든 사람의 아들들을 보시도다. 14 그분은 그분의 거하시는 장소에서부터 땅에 거하는 모든 자들을 주목하시도다. 15 그분은 그들의 마음을 모두 조성하시고 그들의 모든 행위들을 고려하시도다.

NET

9 For he spoke, and it came into existence. He issued the decree, and it stood firm. 10 The Lord frustrates the decisions of the nations; he nullifies the plans of the peoples. 11 The Lord's decisions stand forever; his plans abide throughout the ages. 12 How blessed is the nation whose God is the Lord, the people whom he has chosen to be his special possession. 13 The Lord watches from heaven; he sees all people. 14 From the place where he lives he looks carefully at all the earth's inhabitants. 15 He is the one who forms every human heart, and takes note of all their actions.

33 WLC

16 אֵין־הַמֶּלֶךְ נוֹשָׁע בְּרָב־חָיִל גִּבּוֹר לֹא־יִנָּצֵל בְּרָב־כֹּחַ:

17 שֶׁקֶר הַסּוּס לִתְשׁוּעָה וּבְרֹב חֵילוֹ לֹא יְמַלֵּט:

18 הִנֵּה עֵין יְהוָה אֶל־יְרֵאָיו לַמְיַחֲלִים לְחַסְדּוֹ:

19 לְהַצִּיל מִמָּוֶת נַפְשָׁם וּלְחַיּוֹתָם בָּרָעָב:

20 נַפְשֵׁנוּ חִכְּתָה לַיהוָה עֶזְרֵנוּ וּמָגִנֵּנוּ הוּא:

21 כִּי־בוֹ יִשְׂמַח לִבֵּנוּ כִּי בְשֵׁם קָדְשׁוֹ בָטָחְנוּ:

22 יְהִי־חַסְדְּךָ יְהוָה עָלֵינוּ כַּאֲשֶׁר יִחַלְנוּ לָךְ:

맛싸성경

16 어떤 왕도 군대의 많음으로 구원받지 못하며 용사도 힘의 많음으로 구출 받지 못하도다. 17 말(군마)은 구원을 위하여 헛것이며 군대의 많음으로도 구하지 못하도다. 18 보아라, 여호와의 눈은 그분을 경외하는 자들 위 곧 그분의 인애를 기다리는 자들 위에 있어서 19 그들의 영혼을 죽음으로부터 구출하시고 기근에서부터 그들을 살리시도다. 20 우리들의 영혼은 여호와를 간절히 기다리니 그분은 우리 도움이시며 우리 방패이시라. 21 이는 우리 마음이 그분 안에서 즐거워하며 그분의 거룩한 이름을 우리가 신뢰함이라. 22 여호와시여! 우리가 주를 간절히 기다리는 것같이 주의 인애하심이 우리에게 있게 하소서.

NET

16 No king is delivered by his vast army; a warrior is not saved by his great might. 17 A horse disappoints those who trust in it for victory; despite its great strength, it cannot deliver. 18 Look, the Lord takes notice of his loyal followers, those who wait for him to demonstrate his faithfulness 19 by saving their lives from death and sustaining them during times of famine. 20 We wait for the Lord; he is our deliverer and shield. 21 For our hearts rejoice in him, for we trust in his holy name. 22 May we experience your faithfulness, O Lord, for we wait for you.

34 WLC

1 לְדָוִד בְּשַׁנּוֹתוֹ אֶת־טַעְמוֹ לִפְנֵי אֲבִימֶלֶךְ וַֽיְגָרְשֵׁהוּ וַיֵּלַֽךְ׃

2 אֲבָרֲכָה אֶת־יְהוָה בְּכָל־עֵת תָּמִיד תְּהִלָּתוֹ בְּפִי׃

3 בַּיהוָה תִּתְהַלֵּל נַפְשִׁי יִשְׁמְעוּ עֲנָוִים וְיִשְׂמָחוּ׃

4 גַּדְּלוּ לַיהוָה אִתִּי וּנְרוֹמְמָה שְׁמוֹ יַחְדָּו׃

5 דָּרַשְׁתִּי אֶת־יְהוָה וְעָנָנִי וּמִכָּל־מְגוּרוֹתַי הִצִּילָנִי׃

6 הִבִּיטוּ אֵלָיו וְנָהָרוּ וּפְנֵיהֶם אַל־יֶחְפָּרוּ׃

7 זֶה עָנִי קָרָא וַיהוָה שָׁמֵעַ וּמִכָּל־צָרוֹתָיו הוֹשִׁיעוֹ׃

맛싸성경

(히, 34:1) [다윗의 시. 다윗이 아비멜렉 앞에서 그의 판단을 바꾸었을 때(미친 체하여) 왕이 그를 쫓아내고 그가 나갔을 때 (지은 시)] **1(2)** 내가 모든 때에 여호와를 송축하리니 그분의 찬송이 항상 내 입술에 있을 것이라. **2(3)** 여호와를 내 영혼이 찬양할 것이니 겸손한 자들이 듣고 즐거워하리로다. **3(4)** 너희는 나와 함께 여호와를 위대하시다 하며 그의 이름을 다 같이 높이자. **4(5)** 내가 여호와께 구하였더니 주께서 내게 응답하셨고 그분이 내 모든 두려움으로부터 나를 구출해 주셨도다. **5(6)** 그들은 주를 쳐다보고 빛이 났으며 그들의 얼굴(들)은 창피를 당하지 않았도다. **6(7)** 이 가난한 자가 부르짖었더니 여호와께서 들으셨고 그 모든 어려움으로부터 그를 구원하셨도다.

NET

1(H 34:1) By David, when he pretended to be insane before Abimelech, causing the king to send him away. **(2)** I will praise the Lord at all times; my mouth will continually praise him. **2(3)** I will boast in the Lord; let the oppressed hear and rejoice. **3(4)** Magnify the Lord with me. Let us praise his name together. **4(5)** I sought the Lord's help and he answered me; he delivered me from all my fears. **5(6)** Look to him and be radiant; do not let your faces be ashamed. **6(7)** This oppressed man cried out and the Lord heard; he saved him from all his troubles.

34 WLC

8 חֹנֶה מַלְאַךְ־יְהוָה סָבִיב לִירֵאָיו וַיְחַלְּצֵם׃

9 טַעֲמוּ וּרְאוּ כִּי־טוֹב יְהוָה אַשְׁרֵי הַגֶּבֶר יֶחֱסֶה־בּוֹ׃

10 יְראוּ אֶת־יְהוָה קְדֹשָׁיו כִּי־אֵין מַחְסוֹר לִירֵאָיו׃

11 כְּפִירִים רָשׁוּ וְרָעֵבוּ וְדֹרְשֵׁי יְהוָה לֹא־יַחְסְרוּ כָל־טוֹב׃

12 לְכוּ־בָנִים שִׁמְעוּ־לִי יִרְאַת יְהוָה אֲלַמֶּדְכֶם׃

13 מִי־הָאִישׁ הֶחָפֵץ חַיִּים אֹהֵב יָמִים לִרְאוֹת טוֹב׃

14 נְצֹר לְשׁוֹנְךָ מֵרָע וּשְׂפָתֶיךָ מִדַּבֵּר מִרְמָה׃

맛싸성경

7(히, 34:8) 여호와의 천사가 그분을 경외하는 자 주위를 진 치고 그들을 건지시도다. **8(9)** 여호와께서는 좋으시다(선하시다)는 것을 맛보아 알아라. 복 있는 자는 그분 안에 피하는 사람이라. **9(10)** 그분의 신실한 자들아, 여호와를 경외하여라. 이는 그분을 경외하는 자에게는 부족함이 없기 때문이라. **10(11)** 젊은 사자들은 (먹이가) 부족하여 배고프게 되더라도 여호와를 구하는 자들은 모든 좋은 것에서 부족하지 않을 것이라. **11(12)** 오너라. 자녀들아, 내게 들어라. 내가 여호와를 경외하는 것을 너희에게 가르칠 것이라. **12(13)** 누가 생명을 원하고 날(연수)들을 사랑하여 좋은 것을 보려고 하는가? **13(14)** 네 혀를 악으로부터 보존하여라. 네 입술을 사기 치는 것에서부터도 (그리하라).

NET

7(H 34:8) The angel of the Lord camps around the Lord's loyal followers and delivers them. **8(9)** Taste and see that the Lord is good. How blessed is the one who takes shelter in him. **9(10)** Fear the Lord, you chosen people of his, for those who fear him lack nothing. **10(11)** Even young lions sometimes lack food and are hungry, but those who seek the Lord lack no good thing. **11(12)** Come children. Listen to me. I will teach you what it means to fear the Lord. **12(13)** Do you want to really live? Would you love to live a long, happy life? **13(14)** Then make sure you don't speak evil words or use deceptive speech.

34 WLC

15 סוּר מֵרָע וַעֲשֵׂה־טוֹב בַּקֵּשׁ שָׁלוֹם וְרָדְפֵהוּ׃

16 עֵינֵי יְהוָה אֶל־צַדִּיקִים וְאָזְנָיו אֶל־שַׁוְעָתָם׃

17 פְּנֵי יְהוָה בְּעֹשֵׂי רָע לְהַכְרִית מֵאֶרֶץ זִכְרָם׃

18 צָעֲקוּ וַיהוָה שָׁמֵעַ וּמִכָּל־צָרוֹתָם הִצִּילָם׃

19 קָרוֹב יְהוָה לְנִשְׁבְּרֵי־לֵב וְאֶת־דַּכְּאֵי־רוּחַ יוֹשִׁיעַ׃

20 רַבּוֹת רָעוֹת צַדִּיק וּמִכֻּלָּם יַצִּילֶנּוּ יְהוָה׃

21 שֹׁמֵר כָּל־עַצְמוֹתָיו אַחַת מֵהֵנָּה לֹא נִשְׁבָּרָה׃

22 תְּמוֹתֵת רָשָׁע רָעָה וְשֹׂנְאֵי צַדִּיק יֶאְשָׁמוּ׃

23 פּוֹדֶה יְהוָה נֶפֶשׁ עֲבָדָיו וְלֹא יֶאְשְׁמוּ כָּל־הַחֹסִים בּוֹ׃

맛싸성경

14(히, 34:15) 악에서 떠나 선을 행하라. 평안을 구하고 그것(들)을 추구하라. 15(16) 여호와의 눈(들)은 의인들에게 있고 그분의 귀(들)는 그들의 도움의 간구에 있도다. 16(17) 여호와의 얼굴(들)은 악을 행하는 자들에게 그들에 (대한) 기억을 땅에서 끊어 버리기 위해 향하시도다. 17(18) 그들(의인)이 부르짖으면 그분이 들으시고 그들의 모든 어려움에서 그들을 구출하시도다. 18(19) 여호와는 마음이 부서진 자들에게 가까이 계시고 애통하는 심령을 구원하시도다. 19(20) 의인의 고난은 많으나 여호와는 그 모든 것들로부터 그를 구출하시도다. 20(21) 그분은 그의 모든 뼈들을 지켜주시니 그들 중의 하나도 부서지지 않게 하실 것이로다. 21(22) 악은 사악한 자를 죽일 것이며 의인을 미워하는 자들은 죗값을 갚게 될 것이라. 22(23) 여호와는 그의 종들의 생명을 속전하시니 그분 안에 피하는 모든 자들로 죗값을 갚지 않게 하실 것이로다.

NET

14(H 34:15) Turn away from evil and do what is right. Strive for peace and promote it. 15(16) The Lord pays attention to the godly and hears their cry for help. 16(17) But the Lord opposes evildoers and wipes out all memory of them from the earth. 17(18) The godly cry out and the Lord hears; he saves them from all their troubles. 18(19) The Lord is near the brokenhearted; he delivers those who are discouraged. 19(20) The godly face many dangers, but the Lord saves them from each one of them. 20(21) He protects all his bones; not one of them is broken. 21(22) Evil people self-destruct; those who hate the godly are punished. 22(23) The Lord rescues his servants; all who take shelter in him escape punishment.

35 WLC

1 לְדָוִד ׀ רִיבָה יְהוָה אֶת־יְרִיבַי לְחַם אֶת־לֹחֲמָי׃

2 הַחֲזֵק מָגֵן וְצִנָּה וְקוּמָה בְּעֶזְרָתִי׃

3 וְהָרֵק חֲנִית וּסְגֹר לִקְרַאת רֹדְפָי אֱמֹר לְנַפְשִׁי יְשֻׁעָתֵךְ אָנִי׃

4 יֵבֹשׁוּ וְיִכָּלְמוּ מְבַקְשֵׁי נַפְשִׁי יִסֹּגוּ אָחוֹר וְיַחְפְּרוּ חֹשְׁבֵי רָעָתִי׃

5 יִהְיוּ כְּמֹץ לִפְנֵי־רוּחַ וּמַלְאַךְ יְהוָה דּוֹחֶה׃

6 יְהִי־דַרְכָּם חֹשֶׁךְ וַחֲלַקְלַקּוֹת וּמַלְאַךְ יְהוָה רֹדְפָם׃

7 כִּי־חִנָּם טָמְנוּ־לִי שַׁחַת רִשְׁתָּם חִנָּם חָפְרוּ לְנַפְשִׁי׃

8 תְּבוֹאֵהוּ שׁוֹאָה לֹא־יֵדָע וְרִשְׁתּוֹ אֲשֶׁר־טָמַן תִּלְכְּדוֹ בְּשׁוֹאָה יִפָּל־בָּהּ׃

맛싸성경

1 [다윗의 시] 여호와시여! 나와 싸우는 자와 싸우시고 나와 전쟁을 하는 자와 전쟁을 하소서. **2** 방패와 큰 방패를 잡으시고 나를 돕는 자로 일어나소서. **3** 창을 빼셔서 나를 추격하는 자들을 만나 막으소서. 내 영혼에게 "내가 너의 구원이다."고 말씀하소서. **4** 내 생명을 찾는 자들이 수치를 당하고 상처를 당하게 하소서. 내게 악을 생각하는 자들이 뒤로 도망가게 하시고 창피를 당하게 하소서. **5** 그들이 바람 앞에서의 겨같이 되게 하시고 여호와의 천사가 (그들을) 밀어내소서. **6** 그들의 길이 어둡고 미끄럽게 하시고 여호와의 천사가 그들을 추격하소서. **7** 이는 이유 없이 그들이 나를 (잡으려고) 함정에 그물들을 숨겼으며 이유 없이 그들이 내 생명을 (해하려고) 함정을 팠나이다. **8** 그가 알지 못하는 사이에 멸망이 그에게 오게 하시고 그가 숨긴 그물에 그가 잡히게 하시며 그로 멸망으로 빠지게 하소서.

NET

1 By David. O Lord, fight those who fight with me. Attack those who attack me. **2** Grab your small shield and large shield, and rise up to help me. **3** Use your spear and lance against those who chase me. Assure me with these words: "I am your deliverer." **4** May those who seek my life be embarrassed and humiliated. May those who plan to harm me be turned back and ashamed. **5** May they be like wind-driven chaff, as the angel of the Lord attacks them. **6** May their path be dark and slippery, as the angel of the Lord chases them. **7** I did not harm them, but they hid a net to catch me and dug a pit to trap me. **8** Let destruction take them by surprise. Let the net they hid catch them. Let them fall into destruction.

9 וְנַפְשִׁי תָּגִיל בַּיהוָה תָּשִׂישׂ בִּישׁוּעָתוֹ׃

10 כָּל עַצְמוֹתַי ׀ תֹּאמַרְנָה יְהוָה מִי כָמוֹךָ מַצִּיל עָנִי מֵחָזָק מִמֶּנּוּ
וְעָנִי וְאֶבְיוֹן מִגֹּזְלוֹ׃

11 יְקוּמוּן עֵדֵי חָמָס אֲשֶׁר לֹא־יָדַעְתִּי יִשְׁאָלוּנִי׃

12 יְשַׁלְּמוּנִי רָעָה תַּחַת טוֹבָה שְׁכוֹל לְנַפְשִׁי׃

13 וַאֲנִי ׀ בַּחֲלוֹתָם לְבוּשִׁי שָׂק עִנֵּיתִי בַצּוֹם נַפְשִׁי וּתְפִלָּתִי
עַל־חֵיקִי תָשׁוּב׃

14 כְּרֵעַ־כְּאָח לִי הִתְהַלָּכְתִּי כַּאֲבֶל־אֵם קֹדֵר שַׁחוֹתִי׃

15 וּבְצַלְעִי שָׂמְחוּ וְנֶאֱסָפוּ נֶאֶסְפוּ עָלַי נֵכִים וְלֹא יָדַעְתִּי קָרְעוּ וְלֹא־דָמּוּ׃

맛싸성경

9 그때 내 영혼이 여호와 안에서 기뻐하고 그의 구원 중에서 즐거워할 것이나이다. 10 나의 모든 뼈가 말하기를 "여호와시여! 누가 주와 같아서 가난한 자를 그보다 강한 자로부터 구원하시고 가난한 자와 궁핍한 자를 그를 강탈하는 자로부터 구출하시나이까?" 11 거짓 증인들이 일어나서 그들이 내가 알지 못하는 일들을 심문하나이다. 12 그들이 선 대신에 악으로 내게 갚아 내 영혼을 (상실로) 슬프게 하나이다. 13 그러나 나는 그들이 병들었을 때 내가 입은 것은 베옷이었고 나는 금식함으로 내 영혼을 낮추었더니 내 기도가 내 품으로 되돌아왔나이다. 14 나의 친구와 형제 같이 내가 다녔으며 어머니를 애도함같이 애곡하여 내가 꿇었나이다. 15 그러나 나의 넘어짐에 그들은 즐거워하며 모였으며 내가 알지 못하는 사이에 치는(비열한) 자들이 나를 대항하여 모였나이다. 그들이 (나를) 찢으며 잠잠하지 않았나이다.

NET

9 Then I will rejoice in the Lord and be happy because of his deliverance. 10 With all my strength I will say, "O Lord, who can compare to you? You rescue the oppressed from those who try to overpower them, the oppressed and needy from those who try to rob them." 11 Violent men perjure themselves, and falsely accuse me. 12 They repay me evil for the good I have done; I am overwhelmed with sorrow. 13 When they were sick, I wore sackcloth, and refrained from eating food. (If I am lying, may my prayers go unanswered.) 14 I mourned for them as I would for a friend or my brother. I bowed down in sorrow as if I were mourning for my mother. 15 But when I stumbled, they rejoiced and gathered together; they gathered together to ambush me. They tore at me without stopping to rest.

16 בְּחַנְפֵי לַעֲגֵי מָעוֹג חָרֹק עָלַי שִׁנֵּימוֹ׃

17 אֲדֹנָי כַּמָּה תִּרְאֶה הָשִׁיבָה נַפְשִׁי מִשֹּׁאֵיהֶם מִכְּפִירִים יְחִידָתִי׃

18 אוֹדְךָ בְּקָהָל רָב בְּעַם עָצוּם אֲהַלְלֶךָּ׃

19 אַל־יִשְׂמְחוּ־לִי אֹיְבַי שֶׁקֶר שֹׂנְאַי חִנָּם יִקְרְצוּ־עָיִן׃

20 כִּי לֹא שָׁלוֹם יְדַבֵּרוּ וְעַל רִגְעֵי־אֶרֶץ דִּבְרֵי מִרְמוֹת יַחֲשֹׁבוּן׃

21 וַיַּרְחִיבוּ עָלַי פִּיהֶם אָמְרוּ הֶאָח ׀ הֶאָח רָאֲתָה עֵינֵינוּ׃

22 רָאִיתָה יְהוָה אַל־תֶּחֱרַשׁ אֲדֹנָי אַל־תִּרְחַק מִמֶּנִּי׃

맛싸성경

16 잔치에서 모욕하는 불경건한 자들과 함께 그들은 자기들의 이를 나를 향해서 갈고 있나이다. 17 주님이시여! 언제까지 주께서 보시려나이까? 내 영혼을 그들의 파괴에서 돌이키시고 내 귀중한 것을 젊은 사자에게서 (돌이키소서). 18 내가 많은 회중 가운데서 주를 노래하고(감사하고) 강한 백성들 가운데서 주를 찬양하리이다. 19 내 원수들이 나를 향해 거짓으로 기뻐하지 못하게 하시고 이유 없이 나를 미워하는 자들이 눈짓하지 않게 하소서. 20 이는 그들은 화평을 말하지 않고 그들은 땅에서 조용하게 (사는 자들에게) 거짓된 말들을 꾸며내기 때문이니이다. 21 그들은 그들의 입을 내게 벌리며 말합니다. "아하. 아하. 우리 눈(들)이 보았도다." 22 여호와시여! 주께서 보셨사오니 귀를 막지 마소서(조용히 계시지 마소서). 주님! 내게서 멀리 계시지 마소서.

NET

16 When I tripped, they taunted me relentlessly, and tried to bite me. **17** O Lord, how long are you going to watch this? Rescue me from their destructive attacks; guard my life from the young lions. **18** Then I will give you thanks in the great assembly; I will praise you before a large crowd of people. **19** Do not let those who are my enemies for no reason gloat over me. Do not let those who hate me without cause carry out their wicked schemes. **20** For they do not try to make peace with others, but plan ways to deceive those who live peacefully in the land. **21** They are ready to devour me; they say, "Aha! Aha! We've got you!" **22** But you take notice, Lord; do not be silent! O Lord, do not remain far away from me.

23 הָעִירָה וְהָקִיצָה לְמִשְׁפָּטִי אֱלֹהַי וַאדֹנָי לְרִיבִי׃

24 שָׁפְטֵנִי כְצִדְקְךָ יְהוָה אֱלֹהָי וְאַל־יִשְׂמְחוּ־לִי׃

25 אַל־יֹאמְרוּ בְלִבָּם הֶאָח נַפְשֵׁנוּ אַל־יֹאמְרוּ בִּלַּעֲנוּהוּ׃

26 יֵבֹשׁוּ וְיַחְפְּרוּ ׀ יַחְדָּו שְׂמֵחֵי רָעָתִי יִלְבְּשׁוּ־בֹשֶׁת וּכְלִמָּה

הַמַּגְדִּילִים עָלָי׃

27 יָרֹנּוּ וְיִשְׂמְחוּ חֲפֵצֵי צִדְקִי וְיֹאמְרוּ תָמִיד יִגְדַּל יְהוָה הֶחָפֵץ

שְׁלוֹם עַבְדּוֹ׃

28 וּלְשׁוֹנִי תֶּהְגֶּה צִדְקֶךָ כָּל־הַיּוֹם תְּהִלָּתֶךָ׃

맛싸성경

23 내 판단을 위해서 깨어 일어나소서. 나의 하나님! 내 주님이시여! 나를 위해서 변론하소서. 24 나의 하나님 여호와시여! 주의 의로움을 따라 나를 판단하시고 그들로 나를 향해 즐거워하지 못하게 하소서. 25 그들의 마음으로 "아하. 우리 마음의 바람이 (성취되었다)."라고 그들이 말하지 못하게 하소서. "우리가 그를 삼키었다."라고 그들이 말하지 못하게 하소서. 26 내 어려움을 기뻐하는 자들은 다 함께 수치와 창피를 당하게 하소서. 나를 향해서 자신들을 과장하던 자들은 수치와 모욕으로 옷 입게 하소서. 27 나의 의를 기뻐하던 자들은 소리치고 즐거워하게 하소서. "여호와만 위대하시고 자기 종의 평화를 기뻐하시도다."라고 항상 그들로 말하게 하소서. 28 그때 내 혀는 주의 의에 대해서 선포하고 온종일 주를 찬양할 것이라.

NET

23 Rouse yourself, wake up and vindicate me. My God and Lord, defend my just cause. 24 Vindicate me by your justice, O Lord my God. Do not let them gloat over me. 25 Do not let them say to themselves, "Aha! We have what we wanted!" Do not let them say, "We have devoured him." 26 May those who rejoice in my troubles be totally embarrassed and ashamed. May those who arrogantly taunt me be covered with shame and humiliation. 27 May those who desire my vindication shout for joy and rejoice. May they continually say, "May the Lord be praised, for he wants his servant to be secure." 28 Then I will tell others about your justice, and praise you all day long.

36 WLC

1 לַמְנַצֵּחַ ׀ לְעֶבֶד־יְהוָה לְדָוִד׃

2 נְאֻם־פֶּשַׁע לָרָשָׁע בְּקֶרֶב לִבִּי אֵין־פַּחַד אֱלֹהִים לְנֶגֶד עֵינָיו׃

3 כִּי־הֶחֱלִיק אֵלָיו בְּעֵינָיו לִמְצֹא עֲוֺנוֹ לִשְׂנֹא׃

4 דִּבְרֵי־פִיו אָוֶן וּמִרְמָה חָדַל לְהַשְׂכִּיל לְהֵיטִיב׃

5 אָוֶן ׀ יַחְשֹׁב עַל־מִשְׁכָּבוֹ יִתְיַצֵּב עַל־דֶּרֶךְ לֹא־טוֹב רָע
לֹא יִמְאָס׃

맛싸성경

1(히 36:1) [지휘자를 위한 여호와의 종 다윗의 시] **(2)** 사악한 자에게 위반(죄)이 마음속으로 말하기를 "그의 눈들 앞에서 하나님을 두려워함이 없도다." (하도다). **2(3)** 그는 자만하여 자기 눈 앞에서 자신의 죄책이 찾아지지 않는다고 자만하여 미움을 받는도다. **3(4)** 그의 입의 말들은 사악과 속임뿐이고 그는 이해력을 가지며 선을 행하기를 그쳤도다. **4(5)** 그는 자기 침상 위에서 사악을 생각하고 선이 없는 길에 서며 악을 거절하지 않는도다.

NET

1(H 36:1) For the music director, an oracle, written by the Lord's servant David. **(2)** An evil man is rebellious to the core. He does not fear God, **2(3)** for he is too proud to recognize and give up his sin. **3(4)** The words he speaks are sinful and deceitful; he does not care about doing what is wise and right. **4(5)** While he lies in bed he plans ways to sin. He is committed to a sinful lifestyle; he does not reject what is evil.

36 WLC

6 יְהוָה בְּהַשָּׁמַיִם חַסְדֶּךָ אֱמוּנָתְךָ עַד־שְׁחָקִים׃

7 צִדְקָתְךָ ׀ כְּהַרְרֵי־אֵל מִשְׁפָּטֶךָ תְּהוֹם רַבָּה אָדָם־וּבְהֵמָה
תוֹשִׁיעַ יְהוָה׃

8 מַה־יָּקָר חַסְדְּךָ אֱלֹהִים וּבְנֵי אָדָם בְּצֵל כְּנָפֶיךָ יֶחֱסָיוּן׃

9 יִרְוְיֻן מִדֶּשֶׁן בֵּיתֶךָ וְנַחַל עֲדָנֶיךָ תַשְׁקֵם׃

10 כִּי־עִמְּךָ מְקוֹר חַיִּים בְּאוֹרְךָ נִרְאֶה־אוֹר׃

11 מְשֹׁךְ חַסְדְּךָ לְיֹדְעֶיךָ וְצִדְקָתְךָ לְיִשְׁרֵי־לֵב׃

12 אַל־תְּבוֹאֵנִי רֶגֶל גַּאֲוָה וְיַד־רְשָׁעִים אַל־תְּנִדֵנִי׃

13 שָׁם נָפְלוּ פֹּעֲלֵי אָוֶן דֹּחוּ וְלֹא־יָכְלוּ קוּם׃

맛싸성경

5(히 36:6) 여호와시여! 주의 인애가 하늘에 있고 주의 신실함이 구름까지 이르나이다. **6(7)** 주의 의는 하나님의 산(들) 같고 주의 심판은 매우 깊으시도다. 여호와시여! 주는 사람과 짐승을 구원하시나이다. **7(8)** 하나님이시여! 주의 인애가 얼마나 소중한지요? 사람의 아들(인생)들이 주의 날개 그늘 밑으로 피하나이다. **8(9)** 그들은 주의 집에서 기름진 것으로부터 만족히 먹고 주께서 기쁨의 강물을 마시게 하나이다. **9(10)** 이는 생명의 샘이 주와 함께 있으며 주의 빛으로 우리가 빛을 보기 때문이니이다. **10(11)** 주를 아는 자들에게는 주의 인애를 그리고 마음이 바른 자들에게는 주의 의를 펼쳐주소서. **11(12)** 오만한 자의 발이 내게 오지 못하게 하시고 사악한 자들의 손이 나를 쫓아내지 못하게 하소서. **12(13)** 거기서 사악을 행하는 자들이 넘어지고 그들은 던져지게 하시며 다시 일어서지 못하게 하소서.

NET

5(H 36:6) O Lord, your loyal love reaches to the sky, your faithfulness to the clouds. **6(7)** Your justice is like the highest mountains, your fairness like the deepest sea; you, Lord, preserve mankind and the animal kingdom. **7(8)** How precious is your loyal love, O God! The human race finds shelter under your wings. **8(9)** They are filled with food from your house, and you allow them to drink from the river of your delicacies. **9(10)** For with you is the fountain of life; in your light we see light. **10(11)** Extend your loyal love to your faithful followers, and vindicate the morally upright. **11(12)** Do not let arrogant men overtake me, or let evil men make me homeless. **12(13)** I can see the evildoers! They have fallen. They have been knocked down and are unable to get up.

37 WLC

1 לְדָוִד ׀ אַל־תִּתְחַר בַּמְּרֵעִים אַל־תְּקַנֵּא בְּעֹשֵׂי עַוְלָה׃

2 כִּי כֶחָצִיר מְהֵרָה יִמָּלוּ וּכְיֶרֶק דֶּשֶׁא יִבּוֹלוּן׃

3 בְּטַח בַּיהוָה וַעֲשֵׂה־טוֹב שְׁכָן־אֶרֶץ וּרְעֵה אֱמוּנָה׃

4 וְהִתְעַנַּג עַל־יְהוָה וְיִתֶּן־לְךָ מִשְׁאֲלֹת לִבֶּךָ׃

5 גּוֹל עַל־יְהוָה דַּרְכֶּךָ וּבְטַח עָלָיו וְהוּא יַעֲשֶׂה׃

6 וְהוֹצִיא כָאוֹר צִדְקֶךָ וּמִשְׁפָּטֶךָ כַּצָּהֳרָיִם׃

7 דּוֹם ׀ לַיהוָה וְהִתְחוֹלֵל לוֹ אַל־תִּתְחַר בְּמַצְלִיחַ דַּרְכּוֹ בְּאִישׁ

עֹשֶׂה מְזִמּוֹת׃

맛싸성경

1 [다윗의 (시)] 악을 행하는 자로 (인하여) 흥분하지
마라. 불의를 행하는 자로 (인하여) 격앙되지 마라. 2
이는 그들은 풀같이 속히 말라버리고 녹색 풀같이 그
것들은 시들기 때문이라. 3 여호와를 신뢰하고 선을
행하라. 땅에 거하며 신실함을 공급하라. 4 여호와로
인하여 기쁨을 가지면 네 마음의 요구를 그분이 네게
허락하실 것이라. 5 네 길을 여호와께 굴려라(맡겨라).
그분을 신뢰하면 그분이 행하실 것이라. 6 (그분이) 네
의를 빛같이 나오게 하시고 네 정의를 대낮같이 하실
것이라. 7 여호와께 잠잠히 있고 그분으로 몸부림쳐
라. 그의 길이 형통한 자로 흥분하지 말고 악한 계획
을 내는 자로 인해서도 (흥분하지) 마라.

NET

1 By David. Do not fret when wicked men seem to
succeed. Do not envy evildoers. 2 For they will
quickly dry up like grass, and wither away like
plants. 3 Trust in the Lord and do what is right.
Settle in the land and maintain your integrity. 4
Then you will take delight in the Lord, and he will
answer your prayers. 5 Commit your future to the
Lord. Trust in him, and he will act on your behalf. 6
He will vindicate you in broad daylight, and publicly
defend your just cause. 7 Wait patiently for the Lord!
Wait confidently for him! Do not fret over the
apparent success of a sinner, a man who carries out
wicked schemes.

37 WLC

8 הֶרֶף מֵאַף וַעֲזֹב חֵמָה אַל־תִּתְחַר אַךְ־לְהָרֵעַ׃

9 כִּי־מְרֵעִים יִכָּרֵתוּן וְקֹוֵי יְהוָה הֵמָּה יִירְשׁוּ־אָרֶץ׃

10 וְעוֹד מְעַט וְאֵין רָשָׁע וְהִתְבּוֹנַנְתָּ עַל־מְקוֹמוֹ וְאֵינֶנּוּ׃

11 וַעֲנָוִים יִירְשׁוּ־אָרֶץ וְהִתְעַנְּגוּ עַל־רֹב שָׁלוֹם׃

12 זֹמֵם רָשָׁע לַצַּדִּיק וְחֹרֵק עָלָיו שִׁנָּיו׃

13 אֲדֹנָי יִשְׂחַק־לוֹ כִּי־רָאָה כִּי־יָבֹא יוֹמוֹ׃

14 חֶרֶב ׀ פָּתְחוּ רְשָׁעִים וְדָרְכוּ קַשְׁתָּם לְהַפִּיל עָנִי וְאֶבְיוֹן לִטְבוֹחַ
יִשְׁרֵי־דָרֶךְ׃

15 חַרְבָּם תָּבוֹא בְלִבָּם וְקַשְּׁתוֹתָם תִּשָּׁבַרְנָה׃

맛싸성경

8 분노를 내려놓고 진노를 버려라. 참으로 악을 행하
도록 흥분하지 마라. 9 이는 행악한 자들은 잘릴 것이
나 여호와를 기다리는 그들은 땅을 상속받을 것이라.
10 잠시 후에는 사악한 자는 없어지리니 네가 그의 장
소를 살펴보아도 그는 없어질 것이다. 11 그러나 낮
추는 자들은 땅을 상속받을 것이며 그들은 큰 평화로
인해서 기쁨을 가질 것이라. 12 사악한 자는 의인에
대해 악을 계획하고 그에게 그의 이를 가는도다. 13
그러나 주가 그를 비웃으실 것이니 이는 (그분이) 그
의 날이 오고 있음을 보고 계심이라. 14 사악한 자들
은 칼을 뽑고 그들의 활을 당겨서 가난한 자와 궁핍한
자를 넘어지게 하고 올바른 길을 가는 자들을 죽이려
하나 15 그들의 칼은 그들의 마음(심장)을 찌르고 그
들의 활들은 부러질 것이라.

NET

8 Do not be angry and frustrated. Do not fret. That
only leads to trouble. 9 Wicked men will be wiped
out, but those who rely on the Lord are the ones
who will possess the land. 10 Evil men will soon
disappear; you will stare at the spot where they
once were, but they will be gone. 11 But the
oppressed will possess the land and enjoy great
prosperity. 12 Evil men plot against the godly and
viciously attack them. 13 The Lord laughs in disgust
at them, for he knows that their day is coming. 14
Evil men draw their swords and prepare their bows,
to bring down the oppressed and needy, and to
slaughter those who are godly. 15 Their swords will
pierce their own hearts, and their bows will be
broken.

37 WLC

16 טֽוֹב־מְ֭עַט לַצַּדִּ֑יק מֵ֝הֲמ֗וֹן רְשָׁעִ֥ים רַבִּֽים׃

17 כִּ֤י זְרוֹע֣וֹת רְ֭שָׁעִים תִּשָּׁבַ֑רְנָה וְסוֹמֵ֖ךְ צַדִּיקִ֣ים יְהוָֽה׃

18 יוֹדֵ֣עַ יְ֭הוָה יְמֵ֣י תְמִימִ֑ם וְ֝נַחֲלָתָ֗ם לְעוֹלָ֥ם תִּהְיֶֽה׃

19 לֹֽא־יֵ֭בֹשׁוּ בְּעֵ֣ת רָעָ֑ה וּבִימֵ֖י רְעָב֣וֹן יִשְׂבָּֽעוּ׃

20 כִּ֤י רְשָׁעִ֨ים ׀ יֹאבֵ֗דוּ וְאֹיְבֵ֣י יְ֭הוָה כִּיקַ֣ר כָּרִ֑ים כָּל֖וּ בֶעָשָׁ֣ן כָּֽלוּ׃

21 לֹוֶ֣ה רָ֭שָׁע וְלֹ֣א יְשַׁלֵּ֑ם וְצַדִּ֥יק חוֹנֵ֥ן וְנוֹתֵֽן׃

22 כִּ֣י מְ֭בֹרָכָיו יִ֣ירְשׁוּ אָ֑רֶץ וּ֝מְקֻלָּלָ֗יו יִכָּרֵֽתוּ׃

23 מֵ֭יְהוָה מִֽצְעֲדֵי־גֶ֣בֶר כּוֹנָ֑נוּ וְדַרְכּ֥וֹ יֶחְפָּֽץ׃

24 כִּֽי־יִפֹּ֥ל לֹֽא־יוּטָ֑ל כִּֽי־יְ֝הוָ֗ה סוֹמֵ֥ךְ יָדֽוֹ׃

맛싸성경

16 의인들이 (가진) 적은 것이 사악한 자들의 많은 다수보다도 낫도다. 17 이는 사악한 자들의 팔들은 부서지나 여호와께서는 의인들을 지지하심이라. 18 여호와는 온전한 자들의 날들을 아시도다. 그들의 유산은 영원히 있을 것이라. 19 재앙의 때 그들은 부끄러움을 당하지 않을 것이며 기근의 날(들)에 만족히 먹을 것이라. 20 그러나 사악한 자들은 멸망하며 여호와의 원수들도 목장의 소중함같이 사라질 것이라. 그들은 연기같이 사라질 것이라. 21 사악한 자는 빌려도 갚지 않으나 의인은 은혜를 베풀며 주는 자(들)이다. 22 이는 그분에게 복받은 자는 땅을 상속받으나 그분으로부터 저주받은 자는 잘리기 때문이라. 23 여호와께로부터 사람의 걸음은 굳건해지고 그분은 그의 길을 기뻐하시니 24 비록 그가 넘어져도 그는 던져지지 않을 것이니 이는 여호와께서 그의 손을 지지하심이라.

NET

16 The little bit that a godly man owns is better than the wealth of many evil men, 17 for evil men will lose their power, but the Lord sustains the godly. 18 The Lord watches over the innocent day by day, and they possess a permanent inheritance. 19 They will not be ashamed when hard times come; when famine comes they will have enough to eat. 20 But evil men will die; the Lord's enemies will be incinerated—they will go up in smoke. 21 Evil men borrow, but do not repay their debt, but the godly show compassion and are generous. 22 Surely those favored by the Lord will possess the land, but those rejected by him will be wiped out. 23 The Lord grants success to the one whose behavior he finds commendable. 24 Even if he trips, he will not fall headlong, for the Lord holds his hand.

25 נַעַר ׀ הָיִיתִי גַּם־זָקַנְתִּי וְלֹא־רָאִיתִי צַדִּיק נֶעֱזָב וְזַרְעוֹ
מְבַקֶּשׁ־לָחֶם׃
26 כָּל־הַיּוֹם חוֹנֵן וּמַלְוֶה וְזַרְעוֹ לִבְרָכָה׃
27 סוּר מֵרָע וַעֲשֵׂה־טוֹב וּשְׁכֹן לְעוֹלָם׃
28 כִּי יְהוָה ׀ אֹהֵב מִשְׁפָּט וְלֹא־יַעֲזֹב אֶת־חֲסִידָיו לְעוֹלָם
נִשְׁמָרוּ וְזֶרַע רְשָׁעִים נִכְרָת׃
29 צַדִּיקִים יִירְשׁוּ־אָרֶץ וְיִשְׁכְּנוּ לָעַד עָלֶיהָ׃
30 פִּי־צַדִּיק יֶהְגֶּה חָכְמָה וּלְשׁוֹנוֹ תְּדַבֵּר מִשְׁפָּט׃
31 תּוֹרַת אֱלֹהָיו בְּלִבּוֹ לֹא תִמְעַד אֲשֻׁרָיו׃

맛싸성경

25 나는 어린 자였고 이제 늙었으나 의인이 버림 당하는 것을 보지 못했으며 그의 자손이 빵을 구걸하는 것도 보지 못했도다. 26 그는 그의 날 동안 은혜를 베풀고 꾸어주는 자였으니 그의 자손은 복을 받도다.
27 악에서 떠나고 선을 행하라. 그러면 영원히 거할 것이라. 28 이는 하나님은 공평을 사랑하시고 그 신실한 자에게 그의 인애를 버리지 않으시니 그들은 영원히 보호받을 것이라. 그러나 사악한 자들의 씨는 잘 질 것이라. 29 의인들은 땅을 상속받고 그 안에서 영원히 거주할 것이라. 30 의인의 입은 지혜를 말하고 그의 혀는 공평을 말할 것이라. 31 그의 하나님의 율법은 그의 마음에 있고 그의 걸음은 비틀거리지 않을 것이라.

NET

25 I was once young, now I am old. I have never seen the godly abandoned, or their children forced to search for food. 26 All day long they show compassion and lend to others, and their children are blessed. 27 Turn away from evil. Do what is right. Then you will enjoy lasting security. 28 For the Lord promotes justice, and never abandons his faithful followers. They are permanently secure, but the children of the wicked are wiped out. 29 The godly will possess the land and will dwell in it permanently. 30 The godly speak wise words and promote justice. 31 The law of their God controls their thinking; their feet do not slip.

32 צוֹפֶה רָשָׁע לַצַּדִּיק וּמְבַקֵּשׁ לַהֲמִיתוֹ׃

33 יְהוָה לֹא־יַעַזְבֶנּוּ בְיָדוֹ וְלֹא יַרְשִׁיעֶנּוּ בְּהִשָּׁפְטוֹ׃

34 קַוֵּה אֶל־יְהוָה ׀ וּשְׁמֹר דַּרְכּוֹ וִירוֹמִמְךָ לָרֶשֶׁת אָרֶץ בְּהִכָּרֵת
רְשָׁעִים תִּרְאֶה׃

35 רָאִיתִי רָשָׁע עָרִיץ וּמִתְעָרֶה כְּאֶזְרָח רַעֲנָן׃

36 וַיַּעֲבֹר וְהִנֵּה אֵינֶנּוּ וָאֲבַקְשֵׁהוּ וְלֹא נִמְצָא׃

37 שְׁמָר־תָּם וּרְאֵה יָשָׁר כִּי־אַחֲרִית לְאִישׁ שָׁלוֹם׃

38 וּפֹשְׁעִים נִשְׁמְדוּ יַחְדָּו אַחֲרִית רְשָׁעִים נִכְרָתָה׃

39 וּתְשׁוּעַת צַדִּיקִים מֵיְהוָה מָעוּזָּם בְּעֵת צָרָה׃

40 וַיַּעְזְרֵם יְהוָה וַיְפַלְּטֵם יְפַלְּטֵם מֵרְשָׁעִים וְיוֹשִׁיעֵם כִּי־חָסוּ בוֹ׃

맛싸성경

32 사악한 자는 의인을 숨어 기다려서 그를 죽이려고
찾도다. 33 여호와께서는 그를 그(악인)의 손에 버려
두지 않으시고 그가 재판받을 때 그를 정죄 당하지 않
게 하시도다. 34 여호와를 기다리고 그의 길을 지켜
라. 그리하면 그분이 땅을 소유하도록 너를 들어 올리
시고 사악한 자들이 잘리는 것을 너는 보게 될 것이
라. 35 나는 맹렬한 사악한 자를 보았으니 그가 잎이
많은 토종 나무같이 보였도다. 36 그러나 그는 지나
갔으니 보아라. 그는 더 이상 없으며 내가 그를 찾아
보아도 그는 발견되지 않았다. 37 온전한 자를 지켜
보고 올바른 자를 보아라. 이는 화평하는 사람은 미래
가 있기 때문이라. 38 그러나 위반자들은 다 같이 멸
망할 것이며 사악한 자들의 미래는 잘릴 것이라. 39
의인들의 구원은 여호와로부터 있으니 (그분은) 어려
운 때에 피난처가 되시도다. 40 여호와께서 그들을 도
우시고 그들을 구하시도다. 그분은 사악한 자들로부
터 그들을 구하시고 그들을 구원하시니 이는 그들이
그분 안에 피하기 때문이라.

NET

32 The wicked set an ambush for the godly and try
to kill them. 33 But the Lord does not surrender the
godly, or allow them to be condemned in a court of
law. 34 Rely on the Lord. Obey his commands. Then
he will permit you to possess the land; you will see
the demise of the wicked. 35 I have seen ruthless,
wicked people growing in influence, like a green
tree grows in its native soil. 36 But then one passes
by, and suddenly they have disappeared. I looked
for them, but they could not be found. 37 Take note
of the one who has integrity. Observe the upright.
For the one who promotes peace has a future. 38
Sinful rebels are totally destroyed; the wicked have
no future. 39 But the Lord delivers the godly; he
protects them in times of trouble. 40 The Lord helps
them and rescues them; he rescues them from the
wicked and delivers them, for they seek his
protection.

38 WLC

1 מִזְמוֹר לְדָוִד לְהַזְכִּיר׃

2 יְהוָה אַל־בְּקֶצְפְּךָ תוֹכִיחֵנִי וּבַחֲמָתְךָ תְיַסְּרֵנִי׃

3 כִּי־חִצֶּיךָ נִחֲתוּ בִי וַתִּנְחַת עָלַי יָדֶךָ׃

4 אֵין־מְתֹם בִּבְשָׂרִי מִפְּנֵי זַעְמֶךָ אֵין־שָׁלוֹם בַּעֲצָמַי מִפְּנֵי חַטָּאתִי׃

5 כִּי עֲוֺנֹתַי עָבְרוּ רֹאשִׁי כְּמַשָּׂא כָבֵד יִכְבְּדוּ מִמֶּנִּי׃

6 הִבְאִישׁוּ נָמַקּוּ חַבּוּרֹתָי מִפְּנֵי אִוַּלְתִּי׃

7 נַעֲוֵיתִי שַׁחֹתִי עַד־מְאֹד כָּל־הַיּוֹם קֹדֵר הִלָּכְתִּי׃

8 כִּי־כְסָלַי מָלְאוּ נִקְלֶה וְאֵין מְתֹם בִּבְשָׂרִי׃

맛싸성경

(히, 38:1) [기념을 위한 다윗의 시] **(2)** 여호와시여! 주의 노하심으로 나를 책망하지 마시고 주의 격노하심으로 나를 징계하지 마소서. **2(3)** 이는 주의 화살이 나를 관통했으며 주의 손이 나를 관여하심이라(짓누르심이라). **3(4)** 주의 저주하심으로 내 육체는 건강한 곳이 없으며 나의 죄로 내 뼈에는 평화가 없나이다. **4(5)** 이는 내 부정이 내 머리를 지나가니 무거운 짐같이 그것들은 내게 더(너무) 무겁나이다. **5(6)** 내 어리석음 때문에 내 상처는 악취가 나며 썩나이다. **6(7)** 나는 굽어지고 아주 꿇었으니 종일토록 애곡하면서 다니나이다. **7(8)** 이는 내 허리는 염증(열기)으로 가득 차 있고 내 육체에는 건장한 곳이 없나이다.

NET

1(H 38:1) A psalm of David, written to get God's attention. **(2)** O Lord, do not continue to rebuke me in your anger. Do not continue to punish me in your raging fury. **2(3)** For your arrows pierce me, and your hand presses me down. **3(4)** My whole body is sick because of your judgment; I am deprived of health because of my sin. **4(5)** For my sins overwhelm me; like a heavy load, they are too much for me to bear. **5(6)** My wounds are infected and starting to smell, because of my foolish sins. **6(7)** I am dazed and completely humiliated; all day long I walk around mourning. **7(8)** For I am overcome with shame, and my whole body is sick.

9 נְפוּגוֹתִי וְנִדְכֵּיתִי עַד־מְאֹד שָׁאַגְתִּי מִנַּהֲמַת לִבִּי׃

10 אֲדֹנָי נֶגְדְּךָ כָל־תַּאֲוָתִי וְאַנְחָתִי מִמְּךָ לֹא־נִסְתָּרָה׃

11 לִבִּי סְחַרְחַר עֲזָבַנִי כֹחִי וְאוֹר־עֵינַי גַּם־הֵם אֵין אִתִּי׃

12 אֹהֲבַי ׀ וְרֵעַי מִנֶּגֶד נִגְעִי יַעֲמֹדוּ וּקְרוֹבַי מֵרָחֹק עָמָדוּ׃

13 וַיְנַקְשׁוּ ׀ מְבַקְשֵׁי נַפְשִׁי וְדֹרְשֵׁי רָעָתִי דִּבְּרוּ הַוּוֹת וּמִרְמוֹת
כָּל־הַיּוֹם יֶהְגּוּ׃

14 וַאֲנִי כְחֵרֵשׁ לֹא אֶשְׁמָע וּכְאִלֵּם לֹא יִפְתַּח־פִּיו׃

15 וָאֱהִי כְּאִישׁ אֲשֶׁר לֹא־שֹׁמֵעַ וְאֵין בְּפִיו תּוֹכָחוֹת׃

맛싸성경

8(히, 38:9) 나는 힘이 빠졌고 완전히 뭉개졌나니 내 마음의 고통으로 신음하나이다. **9(10)** 주시여! 내 모든 사모함은 주께 있으며 내 탄식은 주께로 감추어지지 않았나이다. **10(11)** 내 마음은 두근거리고 내 힘은 내게서 떠나며 내 눈들의 빛도 나와 함께 없나이다. **11(12)** 내 사랑하는 자와 내 친구들은 내 상처에서 다른 쪽에 서 있으며 내 이웃들도 멀리 서 있나이다. **12(13)** 내 생명을 찾는 자들이 덫을 놓았고 내게 해를 (주려고) 찾는 자들은 멸망을 말하나이다. 그들은 온종일 속임수를 음모하나이다. **13(14)** 그러나 나는 못 듣는 자(귀머거리)같이 듣지 않고 나는 그 입을 열지 않는 말 못 하는 자같이 되었나이다. **14(15)** 나는 듣지 못하는 사람같이 되었고 나는 그 입에 대답이 없는 자가 되었나이다.

NET

8(H 38:9) I am numb with pain and severely battered; I groan loudly because of the anxiety I feel. **9(10)** O Lord, you understand my heart's desire; my groaning is not hidden from you. **10(11)** My heart beats quickly; my strength leaves me. I can hardly see. **11(12)** Because of my condition, even my friends and acquaintances keep their distance; my neighbors stand far away. **12(13)** Those who seek my life try to entrap me; those who want to harm me speak destructive words. All day long they say deceitful things. **13(14)** But I am like a deaf man—I hear nothing; I am like a mute who cannot speak. **14(15)** I am like a man who cannot hear and is incapable of arguing his defense.

16 כִּֽי־לְךָ֣ יְהוָ֣ה הוֹחָ֑לְתִּי אַתָּ֥ה תַ֝עֲנֶ֗ה אֲדֹנָ֥י אֱלֹהָֽי׃

17 כִּֽי־אָ֭מַרְתִּי פֶּן־יִשְׂמְחוּ־לִ֑י בְּמ֥וֹט רַ֝גְלִ֗י עָלַ֥י הִגְדִּֽילוּ׃

18 כִּֽי־אֲ֭נִי לְצֶ֣לַע נָכ֑וֹן וּמַכְאוֹבִ֖י נֶגְדִּ֣י תָמִֽיד׃

19 כִּֽי־עֲוֺנִ֥י אַגִּ֑יד אֶ֝דְאַ֗ג מֵֽחַטָּאתִֽי׃

20 וְֽ֭אֹיְבַי חַיִּ֣ים עָצֵ֑מוּ וְרַבּ֖וּ שֹׂנְאַ֣י שָֽׁקֶר׃

21 וּמְשַׁלְּמֵ֣י רָ֭עָה תַּ֣חַת טוֹבָ֑ה יִ֝שְׂטְנ֗וּנִי תַּ֣חַת [רְדוֹפִי כ] (רָֽדְפִי ק)

טֽוֹב׃

22 אַל־תַּֽעַזְבֵ֥נִי יְהוָ֑ה אֱ֝לֹהַ֗י אַל־תִּרְחַ֥ק מִמֶּֽנִּי׃

23 ח֥וּשָׁה לְעֶזְרָתִ֑י אֲ֝דֹנָ֗י תְּשׁוּעָתִֽי׃

맛싸성경

15(히, 38:16) 그러나 여호와시여! 내가 주를 소망하나이다. 당신은(주는) 나의 주님! 나의 하나님이시니 주께서 응답하실 것입니다. 16(17) 이는 내가 말하였나이다. "그들이 나에 대하여 기뻐하지 않게 하시고 나의 발이 흔들릴 때 나를 향해 자신들을 높이지 않게 하소서." 17(18) 이는 나는 넘어지기에 준비되었고 내 아픔이 내 옆에 항상 있음이니이다. 18(19) 내가 부정을 자백하고 내 죄로 염려하나이다. 19(20) 그러나 내 원수들은 살아서 강합니다. 그리고 거짓으로 나를 미워하는 그들은 많이 있나이다. 20(21) 그들은 선 대신에 악으로 갚습니다. 내가 선을 구하기 때문에 그들은 나를 대적하나이다. 21(22) 여호와시여! 나를 버리지 마소서. 내 하나님이시여! 나로부터 멀리 계시지 마소서. 22(23) 속히 내게 도움이 되소서. 주 나의 구원이시여!

NET

15(H 38:16) Yet I wait for you, O Lord! You will respond, O Lord, my God! 16(17) I have prayed for deliverance, because otherwise they will gloat over me; when my foot slips they will arrogantly taunt me. 17(18) For I am about to stumble, and I am in constant pain. 18(19) Yes, I confess my wrongdoing, and I am concerned about my sins. 19(20) But those who are my enemies for no reason are numerous; those who hate me without cause outnumber me. 20(21) They repay me evil for the good I have done; though I have tried to do good to them, they hurl accusations at me. 21(22) Do not abandon me, O Lord. My God, do not remain far away from me. 22(23) Hurry and help me, O Lord, my deliverer.

39 WLC

1 לַמְנַצֵּחַ [לִידִיתוּן כ] (לִידוּתוּן ק) מִזְמוֹר לְדָוִד׃

2 אָמַרְתִּי אֶשְׁמְרָה דְרָכַי מֵחֲטוֹא בִלְשׁוֹנִי אֶשְׁמְרָה לְפִי מַחְסוֹם
בְּעֹד רָשָׁע לְנֶגְדִּי׃

3 נֶאֱלַמְתִּי דוּמִיָּה הֶחֱשֵׁיתִי מִטּוֹב וּכְאֵבִי נֶעְכָּר׃

4 חַם־לִבִּי ׀ בְּקִרְבִּי בַּהֲגִיגִי תִבְעַר־אֵשׁ דִּבַּרְתִּי בִּלְשׁוֹנִי׃

5 הוֹדִיעֵנִי יְהוָה ׀ קִצִּי וּמִדַּת יָמַי מַה־הִיא אֵדְעָה מֶה־חָדֵל אָנִי׃

6 הִנֵּה טְפָחוֹת ׀ נָתַתָּה יָמַי וְחֶלְדִּי כְאַיִן נֶגְדֶּךָ אַךְ כָּל־הֶבֶל כָּל־אָדָם
נִצָּב סֶלָה׃

맛싸성경

1(히, 39:1) [지휘자를 위한 여두툰에 맞춘 다윗의 노래] **(2)** 나는 말하였도다(생각하였도다). "나는 내 길들을 내 혀로 죄를 짓는 것으로부터 지키고 사악한 자들이 내 앞에 있는 동안에는 내 입에 재갈로 지킬 것이라." **2(3)** 내가 침묵으로 벙어리가 되었으며 좋은 일에도 내가 잠잠하니 내 고통이 일어났도다. **3(4)** 내 마음은 내 속에서 뜨거워졌고 내가 작은 소리를 낼(묵상할) 때 불이 타올라서 내가 혀로 말하였도다. **4(5)** 여호와시여! 내 마지막과 내 날들의 길이가 어떠한지 알게 하셔서 내가 얼마나 일시적인지(명이 짧은지) 나로 알게 하소서. **5(6)** 보소서, 주께서 내 날들을 손 너비로(한 뼘 정도) 두시니 내 생애는 주 앞에서는 없는 것과 같나이다. 참으로 사람이 각자 (제) 자리에 있어도 다 덧없나이다.

NET

1(H 39:1) For the music director, Jeduthun; a psalm of David. **(2)** I decided, "I will watch what I say and make sure I do not sin with my tongue. I will put a muzzle over my mouth while in the presence of an evil person." **2(3)** I was stone silent; I held back the urge to speak. My frustration grew; **3(4)** my anxiety intensified. As I thought about it, I became impatient. Finally I spoke these words: **4(5)** "O Lord, help me understand my mortality and the brevity of life. Let me realize how quickly my life will pass. **5(6)** Look, you make my days short lived, and my life span is nothing from your perspective. Surely all people, even those who seem secure, are nothing but vapor. (Selah)

WLC

7 אַךְ־בְּצֶלֶם ׀ יִתְהַלֶּךְ־אִישׁ אַךְ־הֶבֶל יֶהֱמָיוּן יִצְבֹּר וְלֹא־יֵדַע מִי־אֹסְפָם׃

8 וְעַתָּה מַה־קִּוִּיתִי אֲדֹנָי תּוֹחַלְתִּי לְךָ הִיא׃

9 מִכָּל־פְּשָׁעַי הַצִּילֵנִי חֶרְפַּת נָבָל אַל־תְּשִׂימֵנִי׃

10 נֶאֱלַמְתִּי לֹא אֶפְתַּח־פִּי כִּי אַתָּה עָשִׂיתָ׃

11 הָסֵר מֵעָלַי נִגְעֶךָ מִתִּגְרַת יָדְךָ אֲנִי כָלִיתִי׃

12 בְּתוֹכָחוֹת עַל־עָוֺן ׀ יִסַּרְתָּ אִישׁ וַתֶּמֶס כָּעָשׁ חֲמוּדוֹ אַךְ הֶבֶל כָּל־אָדָם סֶלָה׃

13 שִׁמְעָה־תְפִלָּתִי ׀ יְהוָה וְשַׁוְעָתִי ׀ הַאֲזִינָה אֶל־דִּמְעָתִי אַל־תֶּחֱרַשׁ כִּי גֵר
אָנֹכִי עִמָּךְ תּוֹשָׁב כְּכָל־אֲבוֹתָי׃

14 הָשַׁע מִמֶּנִּי וְאַבְלִיגָה בְּטֶרֶם אֵלֵךְ וְאֵינֶנִּי׃

맛싸성경

6(히, 39:7) 참으로 사람은 영상(허상) 속으로 걸어 다니고 참으로 그들은 덧없이(헛되게) 신음하며 (재산을) 축적하나 그는 누가 그것들을 거둘지 알지 못하나이다. **7(8)** 주시여! 이제 내가 무엇을 소망하겠나이까? 나의 소망은 주께 있나이다. **8(9)** 내 모든 위반으로부터 나를 구출하시고 나로 미련한 자의 비난을 받지 않게 하소서. **9(10)** 내가 벙어리가 되어 내 입을 열지 않았으니 이는 주께서 행하셨기 때문이니이다. **10(11)** 주의 재앙을 내게서 제거해 주소서. 주의 손의 치심으로 내가 사라지나이다(쇠잔해졌나이다). **11(12)** 주께서 부정에 대한 책망으로 사람을 징계하시고 주께서 좀같이 그의 보물(소중한 것)을 사라지게 하시니 참으로 사람들은 다 덧없나이다. **12(13)** 여호와시여! 내 기도를 들으시고 내 부르짖음에 귀 기울여 주시며 내 눈물에 귀를 막지 마소서. 이는 나는 주와 함께하는 거류민이고 나의 모든 아버지(조상)들같이 이방인일 뿐이나이다. **13(14)** 내게서부터 눈길을 돌리시고 내가 떠나 없어지기 전에 나로 즐겁게(웃게) 하소서.

NET

6(H 39:7) Surely people go through life as mere ghosts. Surely they accumulate worthless wealth without knowing who will eventually haul it away." **7(8)** But now, O Lord, upon what am I relying? You are my only hope! **8(9)** Deliver me from all my sins of rebellion. Do not make me the object of fools' insults. **9(10)** I am silent and cannot open my mouth because of what you have done. **10(11)** Please stop wounding me. You have almost beaten me to death. **11(12)** You severely discipline people for their sins; like a moth you slowly devour their strength. Surely all people are a mere vapor. (Selah) **12(13)** Hear my prayer, O Lord. Listen to my cry for help. Do not ignore my sobbing. For I am a resident foreigner with you, a temporary settler, just as all my ancestors were. **13(14)** Turn your angry gaze away from me, so I can be happy before I pass away.

40 WLC

1 לַמְנַצֵּחַ לְדָוִד מִזְמוֹר׃

2 קַוֹּה קִוִּיתִי יְהוָה וַיֵּט אֵלַי וַיִּשְׁמַע שַׁוְעָתִי׃

3 וַיַּעֲלֵנִי ׀ מִבּוֹר שָׁאוֹן מִטִּיט הַיָּוֵן וַיָּקֶם עַל־סֶלַע רַגְלַי כּוֹנֵן אֲשֻׁרָי׃

4 וַיִּתֵּן בְּפִי ׀ שִׁיר חָדָשׁ תְּהִלָּה לֵאלֹהֵינוּ יִרְאוּ רַבִּים וְיִירָאוּ וְיִבְטְחוּ בַּיהוָה׃

5 אַשְׁרֵי הַגֶּבֶר אֲשֶׁר־שָׂם יְהוָה מִבְטַחוֹ וְלֹא־פָנָה אֶל־רְהָבִים וְשָׂטֵי כָזָב׃

6 רַבּוֹת עָשִׂיתָ ׀ אַתָּה ׀ יְהוָה אֱלֹהַי נִפְלְאֹתֶיךָ וּמַחְשְׁבֹתֶיךָ אֵלֵינוּ אֵין ׀
עֲרֹךְ אֵלֶיךָ אַגִּידָה וַאֲדַבֵּרָה עָצְמוּ מִסַּפֵּר׃

7 זֶבַח וּמִנְחָה ׀ לֹא־חָפַצְתָּ אָזְנַיִם כָּרִיתָ לִּי עוֹלָה וַחֲטָאָה לֹא שָׁאָלְתָּ׃

8 אָז אָמַרְתִּי הִנֵּה־בָאתִי בִּמְגִלַּת־סֵפֶר כָּתוּב עָלָי׃

맛싸성경

1(히, 40:1) [지휘자를 위한 다윗의 시] **(2)** 내가 참으로 (간절히) 여호와를 기다렸더니 주께서 (귀를) 내게로 향하시고 내 부르짖음을 들으셨도다. **2(3)** 주께서 나를 황폐한 땅의 구덩이와 진흙으로부터 (끌어) 올리셨고 내 발을 반석 위에 세우시며 내 걸음을 견고하게 하셨도다. **3(4)** 주께서 내 입에 새 노래를 주셨으니 우리 하나님께 (부르는) 찬양이라. 많은 사람들이 보고 두려워하며 여호와를 신뢰할 것이라. **4(5)** 복 있는 자는 자기의 신뢰를 여호와께 두는 사람이고 교만한 자들에게로 (방향을) 돌리지 않는 자이며 거짓으로 빠지지 않는 자들이라. **5(6)** 나의 하나님 여호와시여! 당신(주)은 많은 것들을 행하셨나니 주의 놀라우신 일들과 우리들에 대한 주의 생각들입니다. 주께 나열하여 내가 선포하여 말할 수가 없으니 그것들은 셀 수가 없나이다. **6(7)** 주께서는 희생 제물과 곡식 제물을 기뻐하지 않으시고 주께서 나를 위하여 귀를 뚫어주셨나이다. 주께서 태움제와 속죄제도 요구하시지 않으셨나이다. **7(8)** 그때 내가 말하기를 "보소서, 내가 왔으며 나에 대해서는 책의 두루마리에 기록되었나이다.

NET

1(H 40:1) For the music director, a psalm of David. **(2)** I relied completely on the Lord, and he turned toward me and heard my cry for help. **2(3)** He lifted me out of the watery pit, out of the slimy mud. He placed my feet on a rock and gave me secure footing. **3(4)** He gave me reason to sing a new song, praising our God. May many see what God has done, so that they might swear allegiance to him and trust in the Lord. **4(5)** How blessed is the one who trusts in the Lord and does not seek help from the proud or from liars. **5(6)** O Lord, my God, you have accomplished many things; you have done amazing things and carried out your purposes for us. No one can thwart you. I want to declare your deeds and talk about them, but they are too numerous to recount. **6(7)** Receiving sacrifices and offerings are not your primary concern. You make that quite clear to me. You do not ask for burnt sacrifices and sin offerings. **7(8)** Then I say, "Look, I come! What is written in the scroll pertains to me.

40 WLC

9 לַעֲשֽׂוֹת־רְצוֹנְךָ֣ אֱלֹהַ֣י חָפָ֑צְתִּי וְ֝תֽוֹרָתְךָ֗ בְּת֣וֹךְ מֵעָֽי׃

10 בִּשַּׂ֤רְתִּי צֶ֨דֶק ׀ בְּקָ֘הָ֤ל רָ֗ב הִנֵּ֣ה שְׂ֭פָתַי לֹ֣א אֶכְלָ֑א יְ֝הוָ֗ה אַתָּ֥ה יָדָֽעְתָּ׃

11 צִדְקָתְךָ֬ לֹא־כִסִּ֨יתִי ׀ בְּת֬וֹךְ לִבִּי֮ אֱמוּנָתְךָ֣ וּתְשׁוּעָתְךָ֣ אָמָ֑רְתִּי לֹא־כִחַ֥דְתִּי חַסְדְּךָ֥ וַ֝אֲמִתְּךָ֗ לְקָהָ֥ל רָֽב׃

12 אַתָּ֣ה יְ֭הוָה לֹא־תִכְלָ֣א רַחֲמֶ֣יךָ מִמֶּ֑נִּי חַסְדְּךָ֥ וַ֝אֲמִתְּךָ֗ תָּמִ֥יד יִצְּרֽוּנִי׃

13 כִּ֤י אָפְפ֪וּ־עָלַ֡י ׀ רָע֘וֹת עַד־אֵ֤ין מִסְפָּ֗ר הִשִּׂיג֣וּנִי עֲ֭וֹנֹתַי וְלֹא־יָכֹ֣לְתִּי לִרְא֑וֹת עָצְמ֥וּ מִשַּֽׂעֲר֥וֹת רֹ֝אשִׁ֗י וְלִבִּ֥י עֲזָבָֽנִי׃

맛싸성경

8(히, 40:9) 내 하나님이시여! 내가 주의 뜻을 행하기를 기뻐하고 주의 율법이 내 안에 있나이다." 9(10) 내가 많은 회중 가운데 의를 전파하였나이다. 보소서, 여호와시여! 나의 입술을 내가 닫지 않았으니 주(당신)께서 알고 계시나이다. 10(11) 내가 주의 의를 내 마음속에 감추지 않았고 주의 신실함과 주의 구원을 내가 말하였나이다. 내가 주의 인애와 주의 진리를 많은 회중 앞에서 숨기지 않았나이다. 11(12) 주 여호와시여! 주의 긍휼을 내게 금하지 마소서. 주의 인애와 주의 진리로 나를 항상 보호하소서. 12(13) 이는 셀 수도 없는 재앙들이 나를 둘러싸고 나의 부정들이 나를 따르며 나는 볼 수도 없나이다. 그것(죄악)들이 내 머리 털보다 많으므로(강하므로) 내 마음이 나를 떠났나이다(낙심하였나이다).

NET

8(H 40:9) I want to do what pleases you, my God. Your law dominates my thoughts." 9(10) I have told the great assembly about your justice. Look, I spare no words. O Lord, you know this is true. 10(11) I have not failed to tell about your justice; I spoke about your reliability and deliverance. I have not neglected to tell the great assembly about your loyal love and faithfulness. 11(12) O Lord, you do not withhold your compassion from me. May your loyal love and faithfulness continually protect me! 12(13) For innumerable dangers surround me. My sins overtake me so I am unable to see; they outnumber the hairs of my head so my strength fails me.

40 WLC

14 רְצֵה יְהוָה לְהַצִּילֵנִי יְהוָה לְעֶזְרָתִי חוּשָׁה׃

15 יֵבֹשׁוּ וְיַחְפְּרוּ ׀ יַחַד מְבַקְשֵׁי נַפְשִׁי לִסְפּוֹתָהּ יִסֹּגוּ אָחוֹר

וְיִכָּלְמוּ חֲפֵצֵי רָעָתִי׃

16 יָשֹׁמּוּ עַל־עֵקֶב בָּשְׁתָּם הָאֹמְרִים לִי הֶאָח ׀ הֶאָח׃

17 יָשִׂישׂוּ וְיִשְׂמְחוּ ׀ בְּךָ כָּל־מְבַקְשֶׁיךָ יֹאמְרוּ תָמִיד יִגְדַּל יְהוָה

אֹהֲבֵי תְּשׁוּעָתֶךָ׃

18 וַאֲנִי ׀ עָנִי וְאֶבְיוֹן אֲדֹנָי יַחֲשָׁב לִי עֶזְרָתִי וּמְפַלְטִי אַתָּה אֱלֹהַי

אַל־תְּאַחַר׃

맛싸성경

13(히, 40:14) 여호와시여! 기쁘게 나를 구출하소서. 여호와시여! 속히 나를 도우소서. 14(15) 내 영혼을 찾아 없애려는 자들로 다 함께 수치를 당하게 하시고 그들로 창피를 당하게 하소서. 내 재앙을 기뻐하는 자들로 뒤로 물러가게 하시고 그들로 굴욕을 당하게 하소서. 15(16) 나를 향해서 "아하. 아하"라고 말하는 자들로 그들의 수치의 보상으로 놀라게 하소서. 16(17) 주를 찾는 모든 자들로 주 안에서 기뻐하고 즐거워하게 하시고 주의 구원을 사랑하는 자들이 "여호와는 위대하시다."라고 항상 말하게 하소서. 17(18) 나는 가난하고 핍절하오나 주님은 나를 생각해 주시니 당신은 내 도움이시며 내 구세주이시나이다. 내 하나님시여! 지체하지 마소서.

NET

13(H 40:14) Please be willing, O Lord, to rescue me! O Lord, hurry and help me! 14(15) May those who are trying to snatch away my life be totally embarrassed and ashamed. May those who want to harm me be turned back and ashamed. 15(16) May those who say to me, "Aha! Aha!" be humiliated and disgraced. 16(17) May all those who seek you be happy and rejoice in you. May those who love to experience your deliverance say continually, "May the Lord be praised!" 17(18) I am oppressed and needy. May the Lord pay attention to me. You are my helper and my deliverer. O my God, do not delay.

41 WLC

1 לַמְנַצֵּחַ מִזְמוֹר לְדָוִד:

2 אַשְׁרֵי מַשְׂכִּיל אֶל־דָּל בְּיוֹם רָעָה יְמַלְּטֵהוּ יְהוָה:

3 יְהוָה ׀ יִשְׁמְרֵהוּ וִיחַיֵּהוּ [יֶאְשָּׁר כ] (וְאֻשַּׁר ק) בָּאָרֶץ וְאַל־תִּתְּנֵהוּ

בְּנֶפֶשׁ אֹיְבָיו:

4 יְהוָה יִסְעָדֶנּוּ עַל־עֶרֶשׂ דְּוָי כָּל־מִשְׁכָּבוֹ הָפַכְתָּ בְחָלְיוֹ:

5 אֲנִי־אָמַרְתִּי יְהוָה חָנֵּנִי רְפָאָה נַפְשִׁי כִּי־חָטָאתִי לָךְ:

맛싸성경

1(히, 41:1) [지휘자를 위한 다윗의 시] (2) 복 있는 자는 가난한 자를 생각하니 재앙의 날에 여호와께서 그를 구하실 것이라. 2(3) 여호와는 그를 지키시고 그를 살리시니 그는 땅에서 행복해질 것이다. 주께서 그 원수의 영혼에 그를 넘기시지 마소서. 3(4) 여호와께서 그를 병상에서 붙드시며 주께서 그의 병 중에 있을 때 그의 모든 침상에서 회복시키실 것이라(바꾸실 것이라). 4(5) 내가 말하기를 "내게 은혜를 베푸시며 내 생명을 치료하소서. 이는 내가 주께 죄를 지었음이니이다."

NET

1(H 41:1) For the music director, a psalm of David. (2) How blessed is the one who treats the poor properly. When trouble comes, may the Lord deliver him. 2(3) May the Lord protect him and save his life. May he be blessed in the land. Do not turn him over to his enemies. 3(4) The Lord supports him on his sickbed; you have healed him from his illness. 4(5) As for me, I said: "O Lord, have mercy on me! Heal me, for I have sinned against you.

41 WLC

6 אוֹיְבַי יֹאמְרוּ רַע לִי מָתַי יָמוּת וְאָבַד שְׁמוֹ׃

7 וְאִם־בָּא לִרְאוֹת ׀ שָׁוְא יְדַבֵּר לִבּוֹ יִקְבָּץ־אָוֶן לוֹ יֵצֵא לַחוּץ יְדַבֵּר׃

8 יַחַד עָלַי יִתְלַחֲשׁוּ כָּל־שֹׂנְאָי עָלַי ׀ יַחְשְׁבוּ רָעָה לִי׃

9 דְּבַר־בְּלִיַּעַל יָצוּק בּוֹ וַאֲשֶׁר שָׁכַב לֹא־יוֹסִיף לָקוּם׃

10 גַּם־אִישׁ שְׁלוֹמִי ׀ אֲשֶׁר־בָּטַחְתִּי בוֹ אוֹכֵל לַחְמִי הִגְדִּיל עָלַי עָקֵב׃

맛싸성경

5(히, 41:6) 내 원수들이 내게 악하게 말하여 "언제 그가 죽으며 그의 이름이 망하겠는가?" (하나이다). 6(7) 그가 나를 보러 올 때 그는 거짓을 말하고 그의 마음에 사악을 쌓았다가 그는 밖으로 나가서 말하나이다. 7(8) 나를 미워하는 모든 자들이 다 같이 나에 대해 수군거리며 나에 대해 악을 계획하나이다. 8(9) 사악한 자의 말이 "그에게 (질병이) 부어졌으니 그가 누운 곳에서 그는 일어나기를 다시 하지 못할 것이라." (하나이다). 9(10) 내 빵을 먹던 내가 신뢰했던 (내) 화평한 사람까지도 나를 대적하여 발꿈치를 크게 들었나이다.

NET

5(H 41:6) My enemies ask this cruel question about me, 'When will he finally die and be forgotten?' 6(7) When someone comes to visit, he pretends to be friendly; he thinks of ways to defame me, and when he leaves he slanders me. 7(8) All who hate me whisper insults about me to one another; they plan ways to harm me. 8(9) They say, 'An awful disease overwhelms him, and now that he is bedridden he will never recover.' 9(10) Even my close friend whom I trusted, he who shared meals with me, has turned against me.

41 WLC

11 וְאַתָּה יְהוָה חָנֵּנִי וַהֲקִימֵנִי וַאֲשַׁלְּמָה לָהֶם׃

12 בְּזֹאת יָדַעְתִּי כִּי־חָפַצְתָּ בִּי כִּי לֹא־יָרִיעַ אֹיְבִי עָלָי׃

13 וַאֲנִי בְּתֻמִּי תָּמַכְתָּ בִּי וַתַּצִּיבֵנִי לְפָנֶיךָ לְעוֹלָם׃

14 בָּרוּךְ יְהוָה ׀ אֱלֹהֵי יִשְׂרָאֵל מֵהָעוֹלָם וְעַד הָעוֹלָם אָמֵן ׀ וְאָמֵן׃

맛싸성경

10(히, 41:11) 그러나 당신(주) 여호와께서는 제게 은혜를 베푸시고 나를 일으켜 주셨나이다. 그러므로 내가 그들에게 갚아줄 것이나이다. **11(12)** 이것으로 나는 주께서 나를 기뻐하신다는 것을 압니다. 이는 내 원수가 나를 향해 (승리의) 소리를 치지 못할 것이기 때문이니이다. **12(13)** 그러나 나(에 대해서) 주는 나의 온전함으로 나를 붙드셨으니 그러므로 주께서 나를 주의 얼굴 앞에 영원히 서게 하소서. **13(14)** 이스라엘의 하나님 여호와를 영원부터 영원까지 송축하리로다. 아멘. 아멘.

NET

10(H 41:11) As for you, O Lord, have mercy on me and raise me up, so I can pay them back!" **11(12)** By this I know that you are pleased with me, for my enemy does not triumph over me. **12(13)** As for me, you uphold me because of my integrity; you allow me permanent access to your presence. **13(14)** The Lord God of Israel deserves praise in the future and forevermore. We agree! We agree!

COVENANT UNIVERSITY
Fulfilling the unfulfilled task through equipping missional servant leaders for Christ

목회자를 위한 설교학 석,박사 통합 과정 소개

1. 수업 진행
1) 월간 맛싸 31-33호를 듣기
2) 각권에 따라 원하는 본문을 원문에 근거하여 설교문을 작성하고 먼저 제출하기
3) 먼저 제출된 설교문을 컨설팅하고 완성된 설교문으로 설교하는 동영상(30분)을 촬영하여 제출하기

2. 수강 과목
1) 월간 맛싸 31호 13학점
   (1) 요나(1-9회차) 2학점 - 설교 2편 작성 제출
   (2) 요엘(10-21회차) 2학점 - 설교 2편 작성 제출
   (3) 학개(22-28회차) 2학점 - 설교 2편 작성 제출
   (4) 말라기(29-38회차) 2학점 - 설교 2편 작성 제출
   (5) 오바댜(39-41회차) 1학점 - 설교 1편 작성 제출
   (6) 하박국(42-51회차) 2학점 - 설교 2편 작성 제출
   (7) 스바냐(52-61회차) 2학점 - 설교 2편 작성 제출

2) 맛싸 32호 13학점
   (1) 시편 119편(1-22회차) 2학점 - 설교 2편 작성 제출
   (2) 시편 120-134편(올라가는 노래)(23-38회차) 6학점 - 설교 6편 작성 제출
   (3) 시편 135-150편(39-61회차) 5학점 - 설교 5편 작성 제출

3) 맛싸 33호 13학점
   (1) 룻기 (1-13회) 3학점 - 설교 3편 작성 제출
   (2) 에스더 (14-48회) 3학점 - 설교 3편 작성 제출
   (3) 시편 101-106편(49-62회) 3학점 - 설교 3편 작성 제출
   (4) 신약 자유 본문(월간맛싸QT 내용중) 4학점 - 설교 4편 작성 제출

4) 논문 6학점 혹은 신약 자유 본문 6학점
   (1) 논문 작성시 - 6학점
   (2) 신약 자유 본문(월간맛싸QT 내용중) 6학점 - 설교 6편 작성 제출

3. 학비
2023년 가을학기 (8/28-12/9일까지 15주)
입학자격-학사 및 목회학 석사(Mdiv) 이상 졸업자(M.A 졸업자는 가능)
신학 석사(ThM) 45학점; 박사(DTh) 54학점; 석박사 통합 39+54=93학점
한학기 15학점; 석사 190만원; 박사 286만원
이번학기 송금처 언약성경연구소(Covenant Bible Institution)
농협 355-4696-1189-93 공식구좌

성경 원문을 공부해서 자격증 혹은 정식 학위도 받을 수 있는 기회

Covenant University -http://covenantunversity.us

카버넌트 대학은 미국 캘리포니아의 대학교로 학사, 석사, 박사 학위를 수여할 수 있는 학교입니다. 국제기독대학 협의회 즉 사립 종교대학 공인 기관(ACSI, Num. 107355)이며 또한 통신으로도 공부를 할 수 있는 미국통신고등교육연합협의회(USDLA) 정식 멤버의 학교입니다. 또한 캘리포니아 주 교육국 코드(CEC 4739b 6)및 학교인가번호 1924981과 연방등록번호 33-081445에 따라 설립된 기독교 대학입니다. 장점은 한국에서 자신의 생활을 하면서 통신으로 공부와 과정을 다 마칠 수 있는 것이 장점입니다. 참고로 이 대학은 Stanton University 캠퍼스 대학교(WASC)와 같은 재단에서 운영하는 대학이기도 합니다. 그리고 한국의 월간 맛싸-언약성경협회, 연구소와 MOU를 맺어서 성경원문으로 학위를 주는 과정입니다. 원문성경으로만 공부하는 것은 세계최초의 일입니다. (그럼에도 혹 ATS, AHBC, TRACS등의 자격을 필요로 하는 분들은 미국 현지에 유학 가서 거주하면서 공부하는 코스로 하시기 바랍니다.)

월간 맛싸(원문성경 전문지)와 연계한 학위과정

31호-13학점; 32호 14학점; 33호 13학점; 34호 12학점-현재까지 52학점 개설
(선지서; 시가서; 역사서; 신약-바울서신)

2023년 가을학기 (8/28-12/9일까지 15주)
입학자격-학사이상 국제 정식학위 소지자
신학 석사(ThM) 45학점; 박사(DTh) 54학점; 석박사 통합 39+54=93학점
한학기 15학점; 석사 190만원; 박사 286만원
이번 학기 송금처 언약성경연구소(Covenant Bible Institution)
농협 355-4696-1189-93

왕초보 히브리어 펜습자
알파벳 따라쓰기

저자 - 허동보

Covenant University, CA
수현교회 담임목사
AP 부모교육 국제지도자
히브리어성경읽기 강사

210X297mm / 62페이지 / 7,500원

히브리어, 어렵지 않습니다.
단지 익숙하지 않을 뿐입니다.

모든 언어는 문법보다 더욱 중요한 것이 있습니다. 바로 읽고 쓰는 것입니다.

기본에 충실합니다.

이 책은 단순합니다. 다른 알파벳 교재와 달리 읽고 쓰는 것에만 집중했습니다.
쓰는 순서, 자음과 모음의 발음, 읽는 방법 등 정말 기본적이고 기초적인 것에
집중을 했습니다.

남녀노소 누구나 할 수 있습니다.

모든 언어는 왕도가 없습니다. 처음에 말과 글을 배울 때 복잡한 문법부터 공부하는
사람은 없습니다. 이 책은 어린이, 청소년을 비롯하여 히브리어에 관심만 있다면
모든 연령이 쉽게 배울 수 있도록 집필되었습니다.

다양한 미디어로 공부가 가능합니다.

책 속에는 노트가 더 필요한 분들이 직접 인쇄할 수 있도록 QR코드를 제공하고
있습니다. 알파벳송은 따라부를 수 있도록 영상 QR코드를 제공합니다. 그 외
다양한 미디어 학습을 체험하실 수 있습니다.

월간 맛싸의 발전과 함께 하실 동역자님을 모십니다.

✓ 평생이사: 월10만원 혹은 연200만원 일시불 / 후원이사: 연10만원
✓ 후원특전: 월간 맛싸와 언약성경연구소 발행 신간을 보내 드리며,
　　　　　세미나와 본사 발전회의에 초대됩니다.
✓ 후원계좌: 농협 302-1258-5603-71 (예금주: LEE HAKJAE)
✓ 정기구독: 1년 6회 90,000원 / 2년 12회: 150,000원
✓ 정기구독 문의 및 안내: 070-4126-3496

정기구독신청서

20　년　월　일

<table>
<tr><td rowspan="7">신
청
인</td><td colspan="2">이 름</td><td></td><td>생년월일</td><td></td></tr>
<tr><td colspan="2">주 소</td><td colspan="3"></td></tr>
<tr><td rowspan="3">전
화</td><td>자 택</td><td>( )　 -</td><td>출석교회</td><td></td></tr>
<tr><td>회 사</td><td>( )　 -</td><td>직 분</td><td>담임목사 / 목사 / 전도사 / 장로 / 권사 / 집사</td></tr>
<tr><td>핸드폰</td><td>( )　 -</td><td>E-mail</td><td>@</td></tr>
<tr><td colspan="4"></td></tr>
<tr><td colspan="4"></td></tr>
<tr><td rowspan="3">수
취
인</td><td colspan="2">이 름</td><td></td><td></td><td></td></tr>
<tr><td colspan="2">주 소</td><td colspan="3"></td></tr>
<tr><td colspan="2">전화(자택)</td><td></td><td>회 사</td><td>핸드폰</td></tr>
<tr><td rowspan="3">신
청
내
용</td><td colspan="2">신청기간</td><td colspan="3">20　년　월 ~ 20　년　월</td></tr>
<tr><td colspan="2">구독기간</td><td colspan="3">□ 1년　　　　□ 2년　　　　□ 3년</td></tr>
<tr><td colspan="2">신청부수</td><td colspan="3">부</td></tr>
<tr><td rowspan="6">결
제
방
법</td><td rowspan="3">카 드</td><td colspan="4">· 카드종류: 국민, 비씨, 신한, 삼성, 롯데, 현대, 농협, 씨티, VISA, Master, JCB</td></tr>
<tr><td colspan="4">· 카드번호:　　 -　　 -　　 -　　　· 유효기간:　 /</td></tr>
<tr><td colspan="4">· 소유주:　　　　　　　　　· 일시불/할부　개월</td></tr>
<tr><td rowspan="2">온라인</td><td colspan="4"></td></tr>
<tr><td colspan="4"></td></tr>
<tr><td>자동이체</td><td colspan="4">CMS</td></tr>
<tr><td>메
모</td><td colspan="5"></td></tr>
</table>

정기구독 문의 및 안내 070-4126-3496

월간 맛싸